JN112007

心と頭がすっきり片付く

バレットジャーナル
活用ブック

監修 平和堂

バレットジャーナルを活用する人が増えている

複雑化した現代社会を生きる人は、一人ひとりがいろいろな役割を担い、とても忙しく暮らしています。仕事や学業、家庭内での務め、日々が多くのタスクで溢れています。ここ数年、バレットジャーナル（Bullet Journal：BuJo）という手帳（ノート）術の名前がよく聞かれるようになりました。ビジネスマンや学生、主婦など忙しい人の間で活用されています。

ここで紹介するノート術バレットジャーナルと、それを活用している人たちは、限られた時間のなかでそれらのタスクをこなし、さらに個人としての大きな目標も達成しています。

バレットジャーナルを使うと、すべきことに優先順位をつけ、自分が持っている時間や能力などの資源を効率的にそれらに割り振ることができるようになります。また、今すぐしなければならないこと、いずれしなければならないことをしっかり区別し忘れないだけではなく、長期的にかなえたい夢に向かって着実に近づいていくことも可能です。

過去を振り返り、今を整理して、未来を計画するバレットジャーナルは忙しい人にこそ役立ちます。

忘れない、見失わないことは、自分自身に安心感を与えストレスを減らします。なにかしなければいけない、覚えていなくてはいけないといった「心のモヤモヤ」がなくなり、今目の前にあることに集中できます。

しかし、便利なシステムも簡単に続けられなければ意味がありません。バレットジャーナルが、多くの忙しい人たちから支持されている理由に簡単につけられること、見返しやすいことがあります。

このバレットジャーナルを考案したライダー・キャロル氏はもともと自ら発達の問題を抱え、スケジュールやタスクの管理が苦手だったそうです。その不利な特性を持っていたからこそ、簡単につけられて長続きし、見通しがよく必要なことを見落とさないというバレットジャーナルを考案できたのでしょう。

また、管理しなければならない項目、興味関心、得手不得手は人によって異なります。バレットジャーナルにはカスタマイズしやすいという特徴もあります。基本の書き方を理解したら、自分の使いやすいよう、好きなようにカスタマイズできます。また、書き始めてから変更したり、改良することも自由です。

バレットジャーナルは一覧性に優れています。ですから、見返すことが簡単です。ある程度の期間、バレットジャーナルをつけたらそれらを見返してみることも有意義でしょう。あの頃、こんなことを考えていた、自分の夢にこれだけ近づいてきた、自分にはこんな資源がある、など自分の人生を振り返ったり、自分を客観的に見たりすることができます。

人生の時間は有限です。バレットジャーナルは、大切な人から期待されているタスクを果たし、自分の人生を自分らしく有意義に生きることに役立つでしょう。

ぜひ、バレットジャーナルを活用したお気に入りのノートで素敵な毎日を作っていってください。

平和堂　堀口　敦史

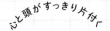
心と頭がすっきり片付く

バレットジャーナル活用ブック

目次

バレットジャーナルについて

本書ではバレットジャーナルを活用し、生活をよりよくすることに役立てるためのコツや例を紹介するとともに、基本的な使い方を紹介しています。これらの方法は『バレットジャーナル 人生を変えるノート術（ライダー・キャロル著 ダイヤモンド社 2019年）』、バレットジャーナル公式サイト（https://bulletjournal.com/pages/learn）以下を参考にしました。バレットジャーナルについてより詳しく知りたい方はこちらをご覧ください。

心と頭がすっきり片付くバレットジャーナル活用ブック

装丁　本文デザイン　DTP　　　株式会社メタ・マニエラ

バレットジャーナル（Bullet Journal）とは？

頭の中を整理するために

先ほども書いた通り、バレットジャーナルとは、アメリカのデジタルプロダクト・デザイナーであるライダー・キャロル氏が編みだした独自のノート術です。

ライダー・キャロル氏自身が幼い頃に発達障害の一つである注意欠陥障害（ADD）という診断を受けています。

ADDとは、注意欠如・多動性障害（ADHD）の多動がないもので、知的能力や人間性には関係なく、集中力や注意力のコントロールに困難を来す障害です。そのためADDの特性を持つ人には、遅刻や忘れ物などを頻繁にしてしまい困っている人が少なくありません。ライダー・キャロル氏もあちこちに気が散り、手をつけられないままの「しなければならないこと」が積みあがり、落ち込んだり、自信を失ったりしていたそうです。

そのなかで彼は頭の中を整理するためにノートを使い、試行錯誤しながらいろいろな方法を組み合わせたりすることで、その方法を形作っていきました。

気が散らなくなり、生産性もアップしたと著書で書いています。そして「自分が直面している問題を解決できるのは自分しかいない」こともわかってきたそうです。

そして同じようにスケジュールやタスク管理で悩む知人に自分のノート術を紹介したところ、それをみんなにシェアするように勧められ、今日多くの人がバレットジャーナルを知り、活用するようになりました。

頭の中が散らかって
なにをすればいいか
わからない…

ライダーキャロル氏の運営するバレットジャーナルのサイト
>https://bulletjournal.com/

自分に関する情報を整理できるノート術

バレット（Bullet）とは、「箇条書きの一項目を示す（・）マーク」のことです。箇条書きを使ってタスクやアイディア、予定などをメモし、独自の記号を用いて情報を整理します。

バレットジャーナルには何を書いてもよく、思考・情報・タスク・時間・習慣・目標など、「自分」のすべてを主体的に整理・管理することができます。

やりたいこと、そのためのプロセス、達成状況などを整理することで、長期的な夢をかなえることに役立ったという人もいます。

また、現在困難に感じていること、課題なども解決法や結果などとともに記録・管理できるので、トラブルを回避・軽減するのに役立つという声も聞かれます。

現在は、何に活用できるかはっきりしていなくても、日々の習慣や調子を記録することで、将来それらを見直し、自分自身を客観的に見ることができたという人もいます。

**考えがまとまると頭も心もすっきり。
今、なにをすればよいか明確に**

・最初にやること
・今すぐに
　できそうなこと

・とても重要なこと
・後で忘れずに
　しなければ
　ならないこと

そうだ、
今はこれをしよう

簡単に今すぐにでも

バレットジャーナルは特別な道具や技術はいりません。今すぐにも始められます。

とりあえず見様見真似で基本のつけ方から初めてみて、後から自分なりの方法を編み出していくのでもよいのです。シンプルが好きな人、デコレーションやイラストが得意な人、記録が大好きな人、その人ならではの味が出るのもバレットジャーナルの特徴の一つです。

始めたいと思った日にノートとペンを用意して書き始めればそこからバレットジャーナルはスタートします。

Chapter 01

バレットジャーナルを始めよう

バレットジャーナル、最初のステップ

準備するもの

・好きなノート
・筆記用具
・紙（思考の目録用　16ページ）

好きなノート、筆記用具を手元に用意しましたか？
ノートにとくにこだわりがない場合は、ドット罫や方眼のものがお勧めです。
もちろん横線のみの横罫や無地のノートを使用している人もいます。

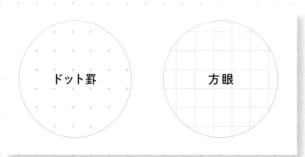

また、毎日持ち歩き、カバンやポケットから出し入れすることになるので、
ある程度丈夫なつくりのほうがよいでしょう。もしくはブックカバーや手帳カ
バーなどで保護します。

ノートのサイズも悩むところですが、こちらも自由です。参考までに前述の市販されているバレットジャーナル公式ノートはA5サイズです。字の小さい人、書くことの少ない人はこれより小さいノートでもよいでしょう。

大きいサイズのノートでももちろんOKです。1ページに書ける情報が増えるので、情報が見やすくなるでしょう。

ただし、常に持ち歩いて、何度も取り出すことを考えると小さく軽いもののほうが便利でしょう。

- ・B5判　182×257mm　　一般的な大学ノート
- ・A5判　148×210mm　　手帳としてよく使われます
- ・B6判　128×182mm　　大学ノートの半分の大きさ
- ・A6判　105×148mm　　文庫本書籍に近いサイズ
- ・フィールドノート（野帳）　165×96mm

　　　　　　　　　　　　　　　製造元によって異なります

また、ライダーキャロル氏が考案したバレットジャーナル公式専用ノートもあります（108ページ）。

ノートのページ数も特に指定はありません。途中でページが足りなくなったら、新しいノートに引き継ぐことができます（37ページ）。

一般的な使用ページ数の目安（1年分）

	推奨されるページ数	
・インデックス	4P	特にページ数は決まってない
・フューチャーログ	4P	1ページに3ヵ月分
・マンスリーログ	24P	毎月2ページ
・デイリーログ	365P	1日1ページ使用した場合
・その他	10P	メモやカスタムコレクション（51ページ）などに使用

1年分を1冊のノートにまとめたいという人もいると思いますが、基本の書き方にならってページを使用すると、上記のように、かなりのページ数になってしまいます。

年ごとにノートを1冊にまとめたいという人のなかには、デイリーログを数日ごと、週ごとにするなど、ページを圧縮する工夫をしている人もいます。

基本の書き方は参考ととらえ、そのうえで自分に合ったスタイルで書くことができるのが、バレットジャーナルの特徴です。

基本のステップ

ノートが用意できたら情報を取り出しやすく、見やすく管理するための準備をしましょう。

バレットジャーナルを新たに始める際に準備することがあります。それはインデックス（目次）と、フューチャーログ（中・長期的な見通しを書くページ）、マンスリーログ（月ごとのページ）をセットアップすることです。それらに続けて日々の事柄を記録するためのデイリーログ（毎日のページ）を作成します。

これらの構成要素をモジュール、それぞれのモジュールに集められた情報をコレクションと呼びます。

スタート時の基本のステップ

［セットアップ（準備）］
・インデックスを作る
・フューチャーログを作る
・マンスリーログを作る

［バレットジャーナルのモジュールとコレクション］

モジュール
バレット
ジャーナルの
構成要素（枠組み）

インデックス	…………			
フューチャーログ	…………			
マンスリーログ	…………			
デイリーログ	…………			

コレクション
それぞれの
モジュールに
集められた情報

思考の目録

バレットジャーナルを始めるときに「なにから書けばよいかわからない」「重要なことを選べない」「考えがまとまらない」ということがあります。

そんなときはノートに書き始める前に、手近な紙に「思考の目録」を書いておくことが勧められています。

思考の目録を作成するには、まず紙に3つの縦方向の列をつくります（縦に線を2本引いたり折り目をつけるなど）。

思考の目録

今取り組んでいること	取り組むべきこと	取り組みたいこと
義両親との 　　旅行の計画	ダイエット	釣りに行く
運転免許証の更新	美容院の予約	富士山に登る
ベランダの片付け	歯医者の予約	カメラを買う
TOEICの勉強	人間ドックの予約	ダイニングの照明を 　　変える
	コーヒー豆の注文	オンライン英会話
	洗車	

左の列に「今、取り組んでいる」こと、真ん中の列に「取り組むべきこと」、右の列には、「取り組みたいこと」を書き入れます。

箇条書きで、なるべく簡潔に書きます。連想して思いついたタスクもすべていずれかのスペースに書いていきます。人に見せるものではないので、正直に思いつくまま書き出すことがよいそうです。

書き出したら、一つひとつの項目について、次のように自問します。

　　1＿これは自分にとって重要なことか？
　　2＿これは必要不可欠なことか？

それぞれの項目について、いずれかの問いの答えがYesなら必要な項目、いずれもNoであれば不要な項目と判断します。この問いで判断がつかない場合は、さらに次のように自問してみることが勧められています。

　　3＿これが完了できなかったらどうなる？

その結果、深刻な事態が予想されたらやはり必要なタスクと判断されます。この思考の目録を作成することで、実施する必要があること、自分がしたいことを選び出しやすくなります。
ノートになにを書くべきか迷ってしまったとき、このような手順で書くべき事項を選別していきます。

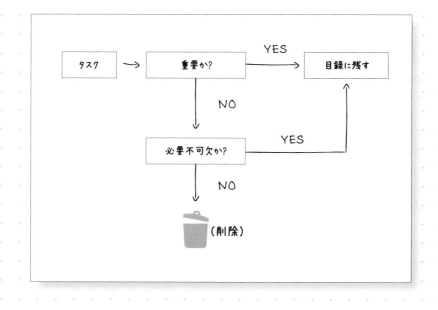

インデックス

バレットジャーナルに書くべき事項がある程度整理されたら、いよいよノートを作っていきましょう。ノートの最初の数ページはインデックス（目次）用のスペースにします。どのくらいのスペースを確保すればよいかわからない場合は、4ページほどとっておきましょう。

1ページ目の上部にINDEXなどと書き、ここがインデックスページだとわかりやすくします。

そして、1ページ目からページの下部にページ番号を書きましょう。インデックスはこのページ番号で管理します。

ノートにどんどん記録をつけていくと、何をどこに書いたかわからなくなってしまいます。インデックスは何ページ目に何を記録したかを記すパートです。ここを見ると目的の事柄が一目でわかるようになります。

もちろんインデックスの項目も増えすぎると一覧しにくくなってしまうので、ページを引く必要を感じないことはインデックスに入れず、必要なことだけを残します。

あくまでも必要なことを見つけやすくすることが目的です。

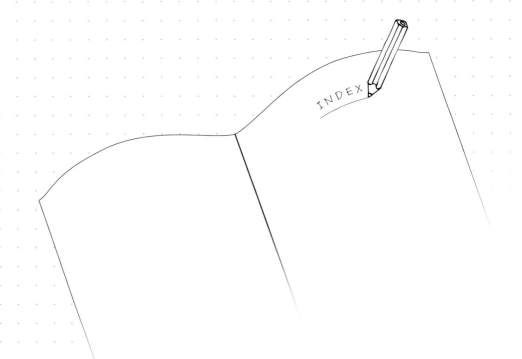

INHALT / CONTENT / CONTENU

複数ページに書かれて
いる場合、連続してい
るページは「―」、連
続していないページは
「,」などで区別する

Index

2)

INDEX

➡インデックスのページを見れば、
自分の探している情報がどのペ
ージに書かれているかわかる

フューチャーログ

インデックスに続けて、フューチャーログというページを作ります。このページでは、中・長期的な見通しを管理します。

基本的には、3ヵ月で1ページを目安に、各ページを3等分して書くことが勧められています。

半年または1年分のスペースを用意しましょう。各月のスペースに、その月に予定しているタスクやイベントを記入します。後から書き加えたり、変更することもできるので、思いつくままに書いてみましょう。

数ヵ月からここ1年といった中・長期的な予定が一覧しやすくなります。

ページの上部にタイトルを書き、下部にページ番号を書きましょう。

タイトル

FUTURE LOG

1月	
4日	会社新年会
9日	名古屋出張（新年あいさつまわり）
10日	定例会議　ボルダリング
16日	FCバスツアー

2月	
4日	ボルダリング
15日	担当者セミナー14
	オンライン英会話入会(たまよ紹介)
22日	もちフェス
25日	浜松出張

3月	
6日	企画会議
10日	定例会議
16日	支局長会議　飲み会
24日	人事交流会

FUTURE LOG

4月	
2日	歓送迎会
10日	商品展示会
11日	ボルダリング
14日	三重出張

5月	
1日	新人配属
10日	定例会議
	ウクレレ教室に入る
16日	担当者セミナー15

6月	
10日	ボーナス
	名古屋出張
	下旬　試験

ページ
番号

10   11

⬆ 横3等分バージョン

月ごとに、中・長期的な予定を書いていく
日付がわからない予定は日付を書かなくてもよい

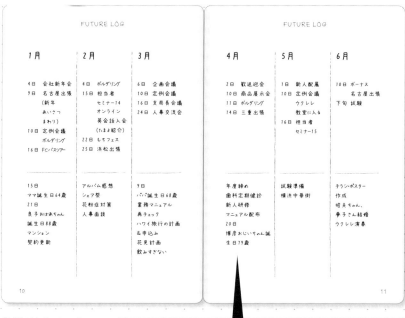

FUTURE LOG

1月
4日　会社新年会
9日　名古屋出張
　　　（新年
　　　あいさつ
　　　まわり）
10日 定例会議
　　　ボルダリング
16日 FCバスツアー

15日
ママ誕生日64歳
21日
良子おばあちゃん
誕生日88歳
マンション
契約更新

2月
4日　ボルダリング
15日 担当者
　　　セミナー14
　　　オンライン
　　　英会話入会
　　　（たまよ紹介）
22日 もちフェス
25日 浜松出張

アルバム感想
シェア祭
花粉症対策
人事面談

3月
6日　企画会議
10日 定例会議
16日 支局長会議
24日 人事交流会

9日
パパ誕生日68歳
業務マニュアル
再チェック
ハワイ旅行の計画
＆申込み
花見計画
飲みすぎない

FUTURE LOG

4月
2日　歓送迎会
10日 商品展示会
11日 ボルダリング
14日 三重出張

年度締め
歯科定期健診
新人研修
マニュアル配布
20日
博彦おじいちゃん誕
生日79歳

5月
1日　新人配属
10日 定例会議
　　　ウクレレ
　　　教室に入る
16日 担当者
　　　セミナー15

試験準備
横浜中華街

6月
10日 ボーナス
　　　名古屋出張
下旬 試験

チラシ・ポスター
作成
昭夫ちゃん、
夢子さん結婚
ウクレレ演奏

10　　　11

↑ 縦3等分バージョン

仕事とプライベートなど、
書く欄を分けたりしてもよい

FUTURE LOG

1月
4日　会社新年会
9日　名古屋出張
　　　（新年あいさつまわり）
10日 定例会議
　　　ボルダリング
16日 FCバスツアー

2月
4日　ボルダリング
15日 担当者セミナー14
　　　オンライン英会話
　　　入会（たまよ紹介）
22日 もちフェス
25日 浜松出張

3月
6日　企画会議
10日 定例会議
16日 支局長会議
　　　飲み会
24日 人事交流会

4月
2日　歓送迎会
10日 商品展示会
11日 ボルダリング
14日 三重出張

5月
1日　新人配属
10日 定例会議
　　　ウクレレ教室に
　　　入る
16日 担当者セミナー15

6月
10日 ボーナス
　　　名古屋出張
下旬 試験

FUTURE LOG

7月
10日 定例会議
　　　熱海温泉旅行
　　　富士登山
7日　万喜子誕生日21歳
29日 二鶴さん誕生日
　　　36歳

8月
人間ドックに行く
ハワイ旅行
ブルーフェス
18日 智也誕生日37歳
展示会準備開始
備蓄食料をみんなで食べる→
更新

9月
10日 定例会議
　　　実習6〜9日
もちツアー巡業
香港アイさん来社
リハ2回
人事面談
敬老の日に食事会

10月
1日　商品展示会
　　　担当者セミナー16
内定式
歯科定期健診
ハロウィンにかする？

11月
10日 定例会議
高校ホームカミングデイ
香港出張かも？
もち芸術祭
いとこ会
パソコンを買う
28日 正輝おじいちゃん
　　　誕生日88歳

12月
ソフトボール市大会予選
忘年会
新シリーズ公開
18日 My Birthday
免許証更新

10　　　11

↑ 見開き1年バージョン

マンスリーログ

続けて、マンスリーログのページを用意します。マンスリーログは、毎月始めに作成します。見開き2ページで1ヵ月分を目安にスペースをとり、上部に何月のページかを記入します。

バレットジャーナルスタート時は、書き始めた日を含む月の予定を書き込みます。フューチャーログを見て、その月にしなければならないことがあれば書き写しましょう。

【マンスリーログの構成要素】

カレンダーパート
　　　日付が固定された予定やタスクの一覧

タスクパート
　　　その月のタスクリスト

左ページに日付と曜日を書きます。

ページ下部にはページ番号を書きます。その番号を「〇月のマンスリーログ」
などとしてインデックスに書き加えましょう。

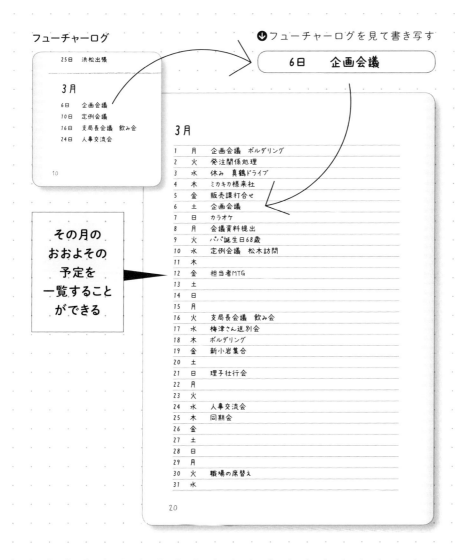

フューチャーログ

25日　浜松出張

3月

6日　　企画会議
10日　　定例会議
16日　　支局長会議　飲み会
24日　　人事交流会

10

●フューチャーログを見て書き写す

6日　　企画会議

3月

1	月	企画会議　ボルダリング
2	火	発注関係処理
3	水	休み　真鶴ドライブ
4	木	ミカキカ様来社
5	金	販売課打合せ
6	土	企画会議
7	日	カラオケ
8	月	会議資料提出
9	火	パパ誕生日68歳
10	水	定例会議　松木訪問
11	木	
12	金	担当者MTG
13	土	
14	日	
15	月	
16	火	支局長会議　飲み会
17	水	梅津さん送別会
18	木	ボルダリング
19	金	新小岩集合
20	土	
21	日	理子壮行会
22	月	
23	火	
24	水	人事交流会
25	木	同期会
26	金	
27	土	
28	日	
29	月	
30	火	職場の席替え
31	水	

20

その月の
おおよその
予定を
一覧すること
ができる

1日1行のリストになるこの方法に対して、この部分をカレンダー形式にして
いる人もいます。

3月

月	火	水	木	金	土	日
1 企画会議 ボルダリング	2 発注関係 処理	3 休み 真鶴ドライブ	4 ミカキカ様 来社	5 販売課 打合せ	6 企画会議	7 カラオケ
8 会議資料 提出	9 パパ誕生日 68歳	10 定例会議 松木訪問	11	12 担当者MTG	13	14
15	16 支局長会議 飲み会	17 梅津さん 送別会	18 ボルダリング	19 新小岩集合	20	21 理子社行会
22	23	24 人事交流会	25 同期会	26	27	28
29	30 職場の 席替え	31				

20

カレンダー形式のマンスリーログ

[こんなグッズも]　　ノートに貼るだけで、カレンダー型のスケジュール
スペースを作ることができるシール

マンスリーページの右ページには月のタスクを書きます。

日付の決まっていない予定は右ページに書いておきます。
余白に月ごとの目標や、大きなイベントを書いておくのもよいでしょう。
これで、バレットジャーナルを書き始めるための準備は終了です。

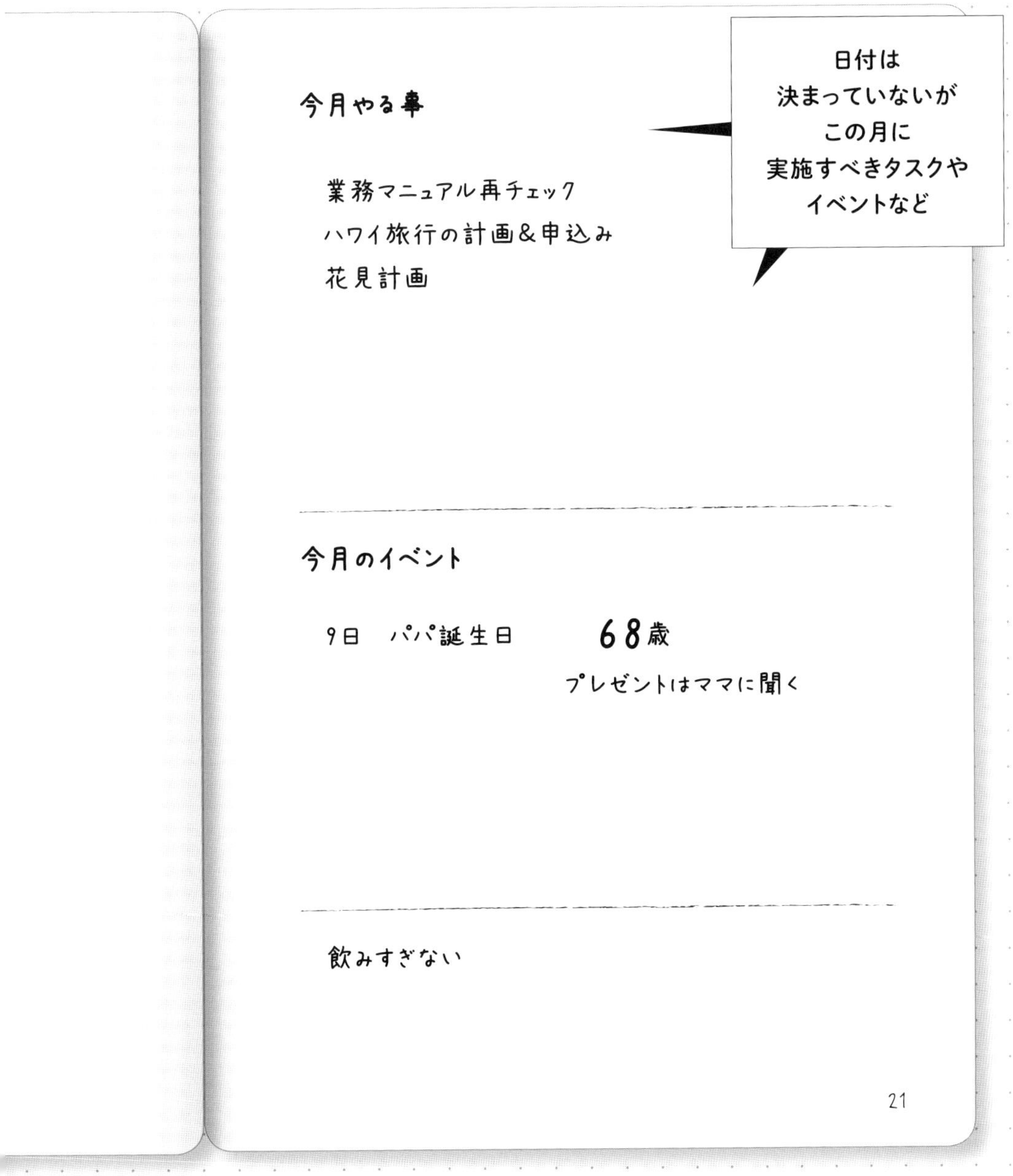

今月やる事

業務マニュアル再チェック
ハワイ旅行の計画&申込み
花見計画

日付は
決まっていないが
この月に
実施すべきタスクや
イベントなど

今月のイベント

9日　パパ誕生日　　**68**歳
　　　プレゼントはママに聞く

飲みすぎない

21

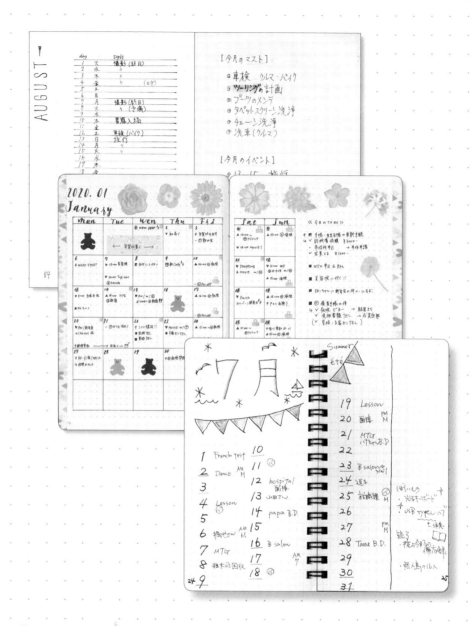

memo

バレットジャーナルの基本の使い方では、マンスリーログをつけること
を勧めていますが、使用者のなかにはマンスリーログは書かないという
人もいます。確かに、マンスリーログが必要かどうかは人によって意見
が分かれるかもしれません。自分に合う方法でよいでしょう。

デイリーログ

デイリーログには、毎日、その日の予定やタスク、できごとを箇条書きで記録します。

フューチャーログやマンスリーログから、その日しなければならないことがあれば書き写します。

ページ下部にはページ番号を書きましょう。このページはインデックスには入れません。

このときに役立つのが、バレットジャーナル記法（ラピッドロギング　28ページ）です。

【デイリーログには】

その日のタスクやイベント、メモなど
をバレットジャーナル記法（次ページ）で書き留めていく。

日付

1日

○　　企画会議　14:00-15:30
　　　A会議室
・　　ボルダリング　19:00-20:30
・　　単三電池を買う
・　　実家に電話する
＊　　送別会会場予約
ー　　ジムに入会する
!・　　スマホ家族割引

タスク
イベント
メモなど

バレットジャーナル記法

ラピッドロギング

バレットジャーナルは疲れていたり忙しいときでも簡単に素早く書けることが大切です。そのために基本的に『ラピッドロギング（素早く記録する）』という方法で記録していきます。
ラピッドロギングは箇条書きで、なるべく簡潔に記録することを意識しましょう。あとで自分自身が見たときに、一目でわかりやすいことを基準に書き方を考えていくとよいでしょう。

バレット

ラピッドロギングでは、バレットと呼ばれる箇条書きマークを使います。このマークをキー（key）と呼ぶこともあります。
バレットを使ってタスク・イベント・メモを箇条書きで簡潔に書きましょう。

バレットにはそれぞれ下のような意味があります。

【基本のバレット(キー)】

『・』　タスク：やること

『○』　イベント：できごと

『―』　メモ書き

1日

○　企画会議　14:00-15:30
　　A会議室
・　ボルダリング　19:00-20:30
・　単三電池を買う
・　実家に電話する

追加の記号

バレットの左側に記号を追加することで、重要な項目を目立たせたり、分類しやすくできます。

> 『＊』 **重要**
> バレットに組み合わせて使うと、
> タスクの見落としが減るでしょう。
>
> 『！』 **アイディア**
> メモに組み合わせて使う。
> 後々読み返したい内容を
> 目立たせます。
> そのほか、オリジナルのマークを
> 使ってもよいでしょう。

```
1日
─────────────────────
○    企画会議  14:00-15:30
     A会議室
・    ボルダリング  19:00-20:30
・    単三電池を買う
・    実家に電話する
＊    送別会会場予約
─    ジムに入会する
!・   スマホ家族割引
```

**目立たせたり
区別したいときに
役立つ**

そのほかより使いやすくなるように記号を追加して使うことも可能です。

【例】

『／』&『＠』
人に任せたタスク
自分で行わないタスクにつけ、＠以下に依頼先を書いておきます。

『？？』
本当かどうかわからないので、後で確認する情報。

『△』
**実行するかわからない約束や
イベント**

```
15日
─────────────────────
・    企画提案資料の作成
✕    購入品の価格交渉＠石田さん
??   部長  16日〜休暇
△    バンクーバー出張
```

タスクを管理するマーク

タスクを実行したり、別の月や日に移したり、終了するときは、箇条書きの『・』
に印をつけていきます。

『×』　完了
　　　　書いたことを実行したら『・』を『×』にします。

『>』　移動
　　　　先延ばしの矢印を表します。
　　　　翌月へ繰り越す時や別ページで管理したい時は
　　　　『・』を『>』にして翌月のマンスリーログや
　　　　任意のカスタムコレクションに移動させます。

『<』　長期予定化
　　　　フューチャーログに戻る矢印を表します。
　　　　翌月以降へ繰り越したい時は『・』を『<』にして
　　　　フューチャーログへ移動させます。

『打ち消し線』　実施する必要がなくなった
　　　　状況が変わったり期限が過ぎたタスクは
　　　　文字を横線で消します。

デイリーログは毎日つける基本のページになります。

例）実行したとき

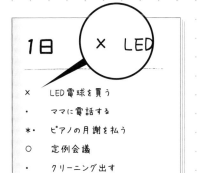

× LED

× LED電球を買う
・ ママに電話する
＊・ ピアノの月謝を払う
○ 定例会議
・ クリーニング出す
!・ 資料作成

↑その日ごとの事柄を書いておく

例）翌日にくり越すとき

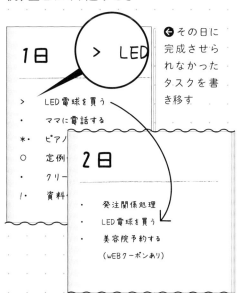

> LED

> LED電球を買う
・ ママに電話する
＊・ ピア
○ 定例
・ クリ
!・ 資料

2日

・ 発注関係処理
・ LED電球を買う
・ 美容院予約する
　（WEBクーポンあり）

←その日に
完成させら
れなかった
タスクを書
き移す

例）長期的な予定にするとき

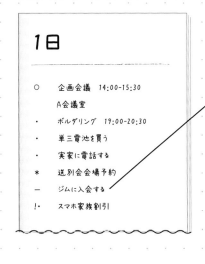

1日

○ 企画会議　14:00-15:30
　A会議室
・ ボルダリング　19:00-20:30
・ 単三電池を買う
・ 実家に電話する
＊ 送別会会場予約
− ジムに入会する
!・ スマホ家族割引

7月

< ジムに入会する

8月

↑長期予定としてフューチャーログな
どに移動させてもよい

例）中止するとき

・ 実家に電話する
＊ 送別会会場予約
　ジムに入会する
!・ スマホ家族割引

バレットジャーナルの使い方

基本の使い方

使ってみよう

バレットジャーナルの準備、セットアップができたら、さっそくバレットジャーナルを書いていきます。

基本の使い方は、月の始めに（前月の最終日でもOK）その月のマンスリーログを書くことと、毎日デイリーログを書くことです。

［月の始めに］

・マンスリーログを書く

・前月を振り返る

［毎日］

・デイリーログを書く

・その日を振り返る

毎月すること

月に一度、新たな月のマンスリーログを用意します。

バレットジャーナル開始時と同様に新たなページに日付と曜日を書き、日付が固定された予定やイベント、タスクを書き入れます。

フューチャーログを見て、その月のタスクを書き写します。

次に前月のマンスリーログを見て、前月のタスクの状況を確認します。そのなかで、新しい月にも必要なものは『・』に『>』マークをつけ、新しい月のマンスリーログに書き写します。

次月以降の事柄は『<』をつけて、フューチャーログのほうに移動させます。

不要なものは打ち消し線を引いて終了させます。

新しい月が始まるタイミングで

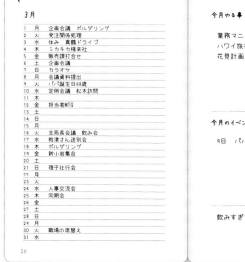

毎日すること

新しい日をスタートさせるときに、またスタートさせる前に新しい日のための
デイリーログを用意しましょう。新しい日の日付とページ番号を書きます。
フューチャーログやマンスリーログを確認し、デイリーログにその日の予定
やタスクを書きます。そのほかに今日することがあれば書き足します。
どのタイミングでもよいので、記録したいことはデイリーログに書いておき
ます。

［新しい日をスタートするときに］

1日	内見・深山様・加藤様・庄司様
	相談・松井様・能美様
	契約・原様
	○月例報告
	○長者丸住民説明会　18：00〜　公民館
	・靴届く　ヤマト
	・鳥かご金具変える
	・腹筋30回　スクワット40回
	・名刺発注
	お腹が出てきた
	スマホの字の大きさを変えてもらう

新しいデイリーログを作る
その日の予定やタスクを書く
そのほかにあれば書き足す

［いつでも どのタイミングでも］

情報を得たりアイディ
アを思いついたときに

覚えておきたいことを
メモにしておく

慣れると、自分にとって必要十分な情報を書き留めることが上手になってく
るでしょう。
そして、その日の終わりに記述した内容を振り返ります。

バレットジャーナルでは、振り返り（リフレクション）の時間を取ることが大切です。

バレットジャーナルを活用している人からは、ノートに書くことと同時に、毎日その日の行動やできごとを確認したり、思い返したりすることが新たな習慣になったという声がよく聞かれます。

［一日の終わりに時間をとり…］

❶ その日のデイリーログを見て完了したタスクに『×』をつけます。
❷ ほかの項目に移動させる項目は『>』をつけて書き写します。

> **1日**
> \> LED電球を買う
> ・ ママに電話する
> ＊・ピアノの月謝を払う
> ○ 定例会議

> **2日**
> ・ 発注関係処理
> ・ LED電球を買う
> ・ 美容院予約する
> 　（WEBクーポンあり）

ノートに書くことで
すべきことを整理する

振り返る

自分が何をしたか、
どう過ごしたか、
計画通りだったか
考える

計画する

↑毎日、自分の頭の中の整理をする時間を作ることを習慣にしましょう

新しい年には新しいノートを

ライダー・キャロル氏によると、毎年、年初には新しいノートを作成すること が勧められています。そのタイミングは人によっては4月や9月、あるいは 別の月かもしれません。

このときインデックスも新たに作ることになりますので、新しいノートにも引 き継ぐ事項を選び直すことになります。

2020

NEW!!

2021

↑ 年が変わるときには
新しいノートを用意する

ノートを使い終わったら

新しいノートが必要になるのは年が変わるときだけとは限りません。ノートを最後のページまで使い終わったら、新しいノートを用意します。

古いノートの表紙などに使い始めた日と、使い終わった日の日付を書いておきましょう。古いノートも捨てずに保存しておくと、後々その期間だけ自分の人生を振り返ることができます。歴代のバレットジャーナル用ノートに連番を振っている人もいます。

新しいノートを用意したら最初の数ページはインデックス用としてスペースをとり、続けてフューチャーログを書きます。古いノートを確認して、繰り越すタスクなどを書き写します。

あとはスタート時と同様にマンスリーログ、デイリーログを書いていきます。ノートを替える際、必要に応じて最新のマンスリーログを新しいノートに転記してもよいでしょう。

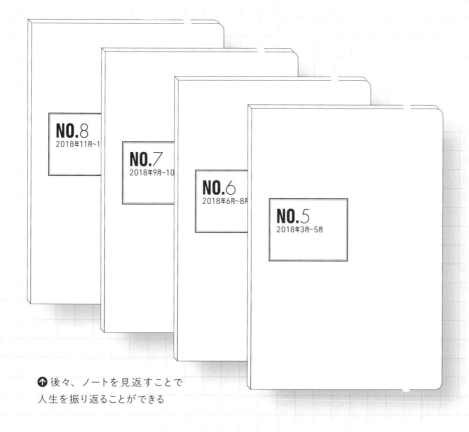

NO.8 2018年11月〜1
NO.7 2018年9月〜10
NO.6 2018年6月〜8月
NO.5 2018年3月〜5月

⬆ 後々、ノートを見返すことで
人生を振り返ることができる

アナログである理由

デジタルでもよい

バレットジャーナルの考案者ライダー・キャロル氏は、著書の中で自身も「デジタルプロダクト・デザイナーだから」とことわったうえで、アプリを使ったりするデジタルツールによる管理を否定はしていません。

PCやスマホで管理できている人もいるでしょうし、タスク管理の専用アプリを使ったり、タブレットPCにデジタルペンで「手書き」するという人もいるでしょう。

デジタルには便利なメリットがたくさんあります。

デジタルのメリット

・日付を書いたり繰り返しの作業が簡単

・スマホで管理すればいつでも肌身離さず持ち歩くことができる

・書き間違えても修正が簡単

・あとでスタイルを変えたいときも容易に書き変えられる

・ページ数の概念がないので、
　無限にページを増やせる

・文字列を検索したり、
　並べ替えたりできる

紙に書く利点

そのうえで、紙のノートに書く利点を挙げています。

・集中できる

　スマホなどのデジタルツールが手近にある環境では集中力が落ちてしまう。

・手書きのノートには柔軟性がある

　アプリを利用することは、あくまでもその枠組みのなかでの操作になる。

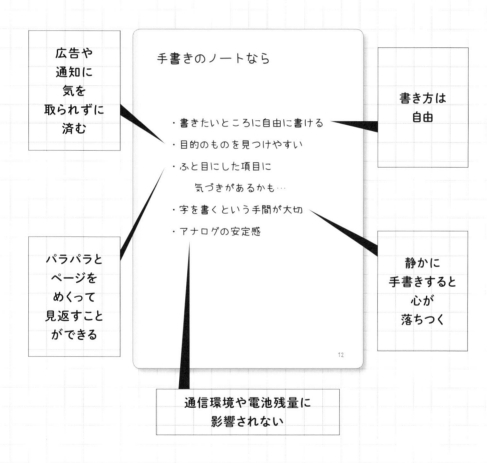

広告や
通知に
気を
取られずに
済む

手書きのノートなら

・書きたいところに自由に書ける

・目的のものを見つけやすい

・ふと目にした項目に
　　気づきがあるかも…

・字を書くという手間が大切

・アナログの安定感

書き方は
自由

パラパラと
ページを
めくって
見返すこと
ができる

静かに
手書きすると
心が
落ちつく

通信環境や電池残量に
影響されない

自分にとって必要十分で、目的に合っている方法であればデジタルでも手書きでもどちらでもよいでしょう。

手書きするという習慣

紙に文字を書くこと自体によい点を感じている人もいます。

「一文字ひと文字書き込むことで、心が鎮まる」「手書きすることで、タスクについてじっくり考えるようになる」「書いたことを記憶しやすくなる」と、精神面でよい効果を感じている人もいますし、「小さなイラストやマークを入れやすい」「マスキングテープやシールなどで飾りやすい」と、視覚効果という面でのメリットを挙げる人もいます。

紙という実在するものを使うことになるので「書き込んだ過去のページが厚みを増していくことが嬉しい」「過去のものを見返したいときページの厚みで感覚的にその時期がわかる」「見返したときに前後のページも目にすることになり、気づきのきっかけになる」という人もいます。

毎日手書きでノートをつけていくことに、いろいろな効果を感じている人がいます。

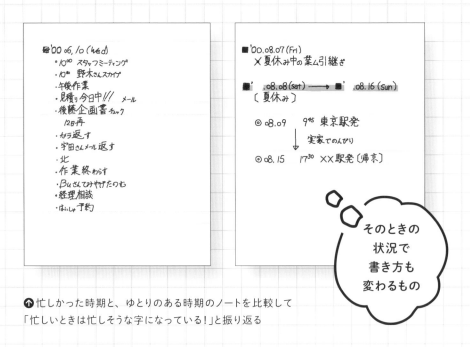

↑ 忙しかった時期と、ゆとりのある時期のノートを比較して
「忙しいときは忙しそうな字になっている!」と振り返る

振り返りが大切

まとまった期間の振り返り

35ページでは、毎日その日を振り返ってみる習慣についてお話ししました。
バレットジャーナルでは、日々の振り返りのほかにまとまった期間での振り返りも大切とされています。1ヵ月が終わったら、新しいマンスリーログを作りますが、そのときに行うこの期間の見直しはとても重要です。この月末のタスクの移動作業の際に、まとまった期間の振り返りが行われ、進行中のタスクの進行状況や、やろうと思いつつも手を付けられていない事柄を再確認する機会になります。バレットジャーナルでは、この振り返りを行うことで、思考がより整理され、自分のすべきことを取捨選択できるようになります。

マンスリーログを作らないという人も、月に一度など期間を決めて、日々とは別にまとまった期間の振り返りを行うことをお勧めします。

[振 り 返 り]

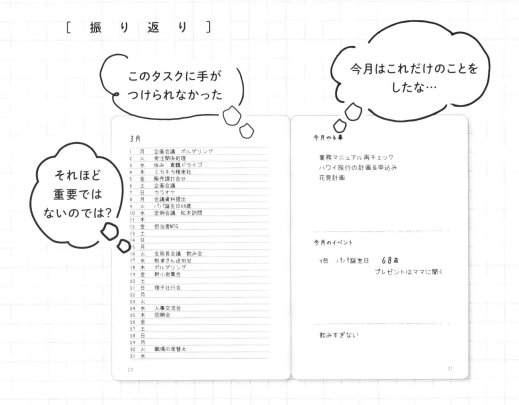

また、とても忙しい時期や細かいタスクが多いときには、週単位などもっと短い期間で振り返りを行うこともよいでしょう。1ヵ月に一度の振り返りでは、チェックする項目が多くなりすぎてしまったり、物事の進行が速いときには、もっと短い時間でチェックを行わないと、記憶やモチベーションが薄れてしまったり、期限が過ぎてしまうこともあるからです。

週ごとならウィークリーログのページを作成し、1週間分の予定やタスクをまとめておきます。

ただし、振り返りが多いと、タスクの移動など手間も増えます。自分にとってちょうどよい期間を考えましょう。

ウィークリーログ
見開きで1週間の例

忙しいときほど
マメな振り返りが役立つ?

その週の
まとめなど

1日 月	2日 火
○ H社打合せ	○ F社 打合せ
○ M社現場	○ 松田さん 会報表紙
料理	・ 振込み確認
C EF24-105	和泉さん5月にインド
食事あり	代理で講師（10日）
・ 家賃支払い	

3日 水	4日 木
○ K社	・ ブログ更新
カタログブツ撮り	100ユーザー/1日
タムSP 70-200	10日連続
金井君アシスト	・ 請求関係(すぐやる)
食事あり	・ 床屋

5日 金	6日 土
○ M社 納品	休み
○ 沖の良写会	○ 多摩動物園
会合19：00	鳥類
	開放
	（ブ
	・ クリ

7日 日	ふり返り
休み	体重が2kg増えた
・ 銀座ソニー	ブログのビュー数が
・ 有楽町	増えている
ビックカメラ	次週のテーマ
！ 日比谷公園には	初心者向けの
カワセミがいる	記事を多めに
	一絞りとは
	一望遠レンズの選び方

6

7

より短い期間での振り返りで、きめ細かくタスクを見直すことができる

自分を見つめ直すことで

バレットジャーナルを使っている人からよく聞かれるのは、バレットジャーナルを使うことで、「すべきことすべてを実行できるようになるわけではなく、なにを優先してすべきかを選ぶことができるようになる」ということです。

時間や体力、お金、協力者など、自分の資源には限りがあります。そのなかで、すべきことやアイディアは日々頭の中にぽんぽん浮かんできます。バレットジャーナルはそれらをすべて一覧できるリストにすることができます。思いつくたびにそれらを書き留め、1日の終わりにそれらを見直し、すべきことを選んでリストにする、また、リストにある項目を実行したか、もしくはそのタスクに関する意識が変わっていないか確かめることで、客観的に自分を見つめなおすことができます。

タスクを移動させる

バレットジャーナルでは、やり残したタスクをほかのページに書き写すことをマイグレーション(移動)と呼んでいます。こうすることでやり残したタスクに意識がいき、うっかり忘れたり、そのままにして時間ばかりたってしまうということがありません。

しかしタスクのなかには、絶対にしなければならないわけではないものもあります。思考の目録(16ページ)を作ったときに行ったように、一つひとつのタスクについて考え直すタイミングとなるのがこの「タスクの移動」です。

書き写すには少し手間がかかります。新しいページに、もう一度同じことを書かなくてはならないのです。そのときに改めてそのタスクが本当にすべきことかどうかを自問することになるでしょう。その書き写す手間もかけられないような、もう不要だと思えるタスクには、打消し線をひいて終了させましょう。必要かどうか判断せず、頭の中に留まっていたごちゃごちゃした考えを排除することができます。

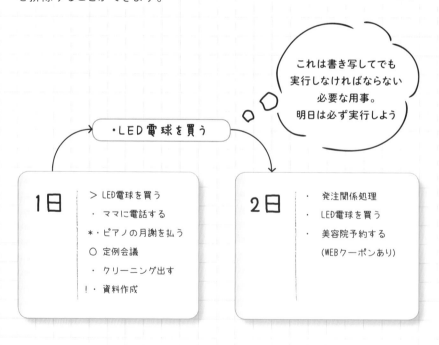

書き写すときに一つひとつのタスクに意識が向くので、やらずじまいだった事柄も素通りできません。本当に重要なことをしていないとしたら、今日はどのような日だったのでしょうか。どのような事情があってそれらが実行できなかったのでしょうか。

もう一度同じことを
書く手間をかけるほど
重要なことかなあ

[重要でないことは頭から排除できる]

・必要ではないこと

過去に必要だったかもしれないが、現在はもう必要ではないこと

・自分にはできないこと

絶対にできないことには頭を悩ませる必要はない。ほかのことに意識を向けたい

・自分がしたくないこと

今日、したいと思っても、時間がたつと気が変わることがある。変わらずしたいことであり続けることに情熱を振り向けてもよいのでは

Chapter 03

自分専用にカスタマイズ

もっと便利に

自分だけのバレット（キー）一覧

オリジナルの記号を作った場合は、それらを忘れないように、それぞれの
記号の説明をまとめて1ヵ所に書いておくと便利かもしれません。

⬇️ノートの最初に

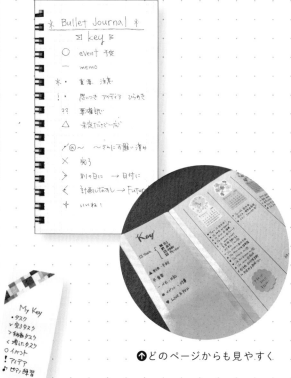

➡️しおりにしても便利　　　　　　　　　　⬆️どのページからも見やすく

ページの柱

目的の内容を探しやすくするために、余白に文字などをデザインすることを「柱」といいます。ページのはしにサインペンなどで色をつけておくことで、ノートの裁断面から見たときに、該当ページがわかるようになります。
10ページごと、月ごとで色を変えたり、段差をつけたりするという人もいます。

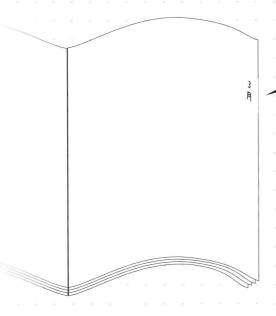

柱サンプル

市販のシールを
使用してもよい

インデックス活用法

ノートを書いていると、関連する項目が連続するページに収められないことがあります。基本的にはページが間を空けて飛ぶ場合も、「,」で区切ったページ番号を書いておけばよいのですが、関連する項目がたくさんある場合は、それらをまとめたインデックスを作成すると便利です。

インデックスの中に関連する項目をまとめるとすべての項目を一覧できて便利です。インデックスのなかにそのためのスペースを取れない場合は、別のページにサブのインデックスとしてまとめておきます。メインのインデックス（マスターインデックス）にはサブインデックスのページ番号を書いておき、目的の情報までたどり着くことができるようにしておきます。

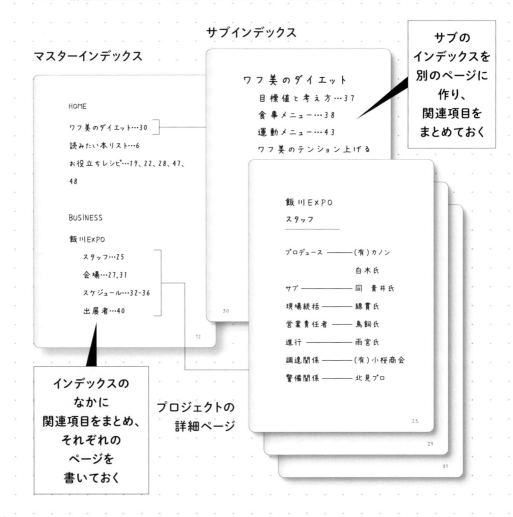

スレッド処理とは、関連している項目をつなぎ合わせる方法です。現在書いているページのなかで、スペースが足りなくなることがあります。そして、次のページは別の項目ですでに使われていて、連続したページに続きを書けないこともあります。その場合は、離れたページにその続きを書き、今まで書いていたページのページ番号欄に、新たに書き始める関連するページの番号も書いておきます。

また、続きを書き始めた新しいページには、前に書いていたページの番号も書いておきます。

> あるページからの続きを書くために
> 2ページ予定していたが…

今年登る山

目標
ガスニ
・丹沢
　新花
　小l
1時間
　大l
阿夫
　雪の
　男l
女坂

今年登る山
続く
・筑波山 (877m)
　　東京駅からバスもある
つくば駅→筑波山口
　　or　つつじヶ丘
　御幸ヶ原コース
　おたつ石コース
　押池さんが車で連れて行って
　　くれるかもしれない
　18日までに返事くれる
　押池さんより
　「低いからといって甘く見てはいけない」

30/18

・奥高尾縦走
　陣馬山 (857m)→景信山 (727m)→
　小仏城山 (670m)→高尾山 (599m)
　行き　藤野駅から徒歩35分
　陣馬山頂で食事をする
　帰り　高尾山口から京王線
　トイレが使えないところがあるので注意
　高尾山に近づくほど混んでいる
　軽装の人も多いがあえてしっかりした
　装備で走っている人が多い
　子供も多い
・金時山 (神奈川　1212m)
　行き　新宿からバス　乙女峠

> スペースが
> 足りなくなった

42/31

どのページから
続いているか

続きを書く
ページ　　現在のページ

この方法を使うとノートをまたがって、関連項目をまとめることができます。

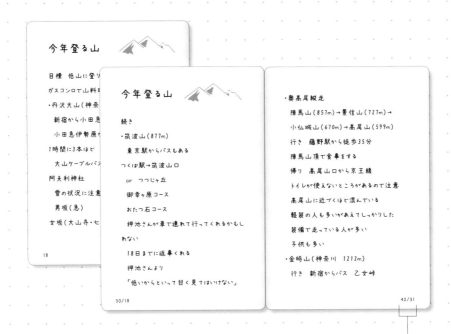

42ページにこの続きを書く場合

インデックスにも
追記しておきましょう

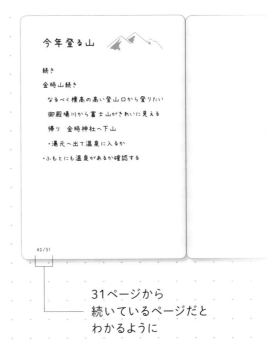

31ページから
続いているページだと
わかるように

カスタムコレクションを作ろう

カスタムコレクション

バレットジャーナルでは、デイリーログ、マンスリーログ、フューチャーログ、そしてそれらの場所を示したインデックスを、4つのコアコレクションと呼んでいます。

これらは基本的に時間を基準にページを分けていますが、このほかにテーマごとのページをつける人もいます。テーマは自由で、自分自身が重要だと思うことをまとめておきます。

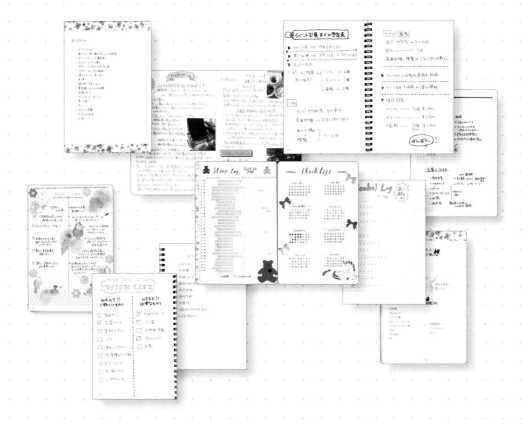

計画を整理する

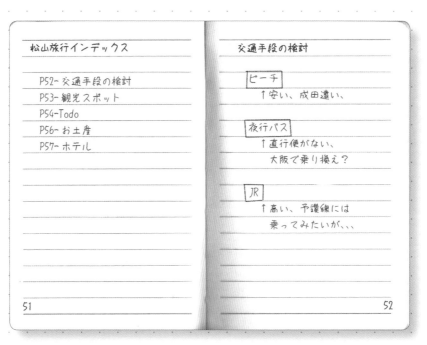

松山旅行インデックス

P52- 交通手段の検討
P53- 観光スポット
P54-Todo
P56- お土産
P57- ホテル

51

交通手段の検討

ピーチ
↑安い、成田遠い、

夜行バス
↑直行便がない、
　大阪で乗り換え？

JR
↑高い、予讃線には
　乗ってみたいが、、、

52

↑たとえば旅行を計画したら、交通手段や観光の計画など旅行に関連する項目をインデックスにまとめる

観光スポット
　→道後温泉
　→松山城
　→南海放送
　→石手寺
　→モアミュージック
　→シネマルナティック
　→大街道・銀天街
　→内田パン
　→古書店のピックアップ

53

郎の祭ずし
EANS
りまたはアサヒ

56

←旅行先でもバレットジャーナルをガイドブックのように使うことができる

⬆試験勉強など目標に向かって、日々すべきことを明確にするためにも役立つ。また、進捗状況を管理したり、モチベーションを維持するのにも力を発揮する

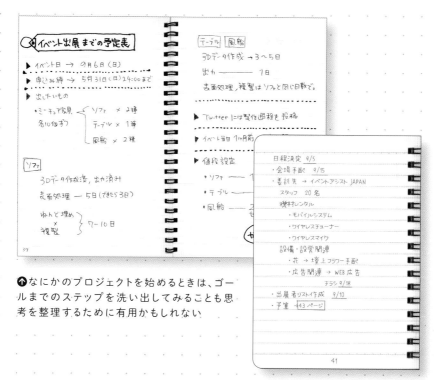

⬆なにかのプロジェクトを始めるときは、ゴールまでのステップを洗い出してみることも思考を整理するために有用かもしれない

ログをつける

ダイエット中の人なら体重の変化や行ったトレーニング、食事などを一覧できるように記録しておくと後から見返しやすくなります。そのほか勉強や育児、病気やけがの治療などを記録しておくと日々の変化や蓄積をまとめて把握することができます。

⬆ふだんと違うことがあったらそれを記録しておくのもよい。たとえばけがや病気。渦中にいるときは気づかなかったことも、後で記録を読み返すと気づきがあるかもしれない
また、記録しておこうとすることが情報整理に役立つこともある

↑日々気を付けていることを特別に記録
してみる。決まった期間にどのくらいそれ
をしたか、記録することで生活習慣を見
直すきっかけとなるかもしれない

↑何気ない日常のログにも、大切な存在の成長や変化のサインを見て取れるかもし
れない。ログはためることで価値を増す。気になることがあったらまずは記録してみ
よう

習慣を身につける

定期的な習慣にしたい項目をチェックリストにするとよいでしょう。
実施した日には印をつけたりシールを貼ったりすることで、実施状況が一
覧でき、モチベーションを維持することにつながるでしょう。習慣トラッカー
と呼ばれています。

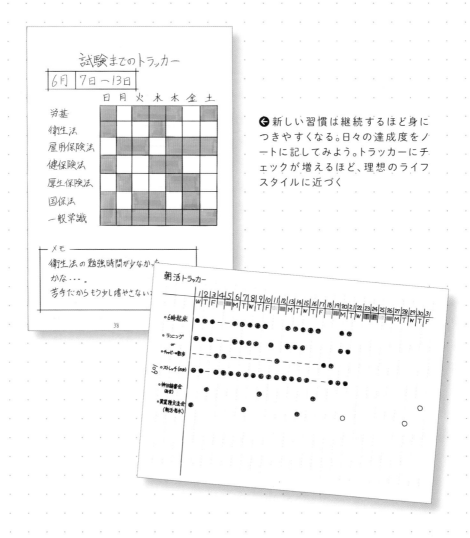

← 新しい習慣は継続するほど身に
つきやすくなる。日々の達成度をノー
トに記してみよう。トラッカーにチ
ェックが増えるほど、理想のライフ
スタイルに近づく

睡眠は健康やよいパフォーマンスのための最重要課題のひとつ。睡眠時間をトラッカーで記録するのはバレットジャーナルでは定番ともいえる。眠っていた時間帯や長さが一目でわかる。

⬆ 睡眠をとっていた時間のコマに色をつけている

手順書

くり返し行う事柄に関する手順や注意事項をまとめておくと、何度も見返すことができて便利。同じような失敗や戸惑いを減らすことができるし、時間短縮にもつながる

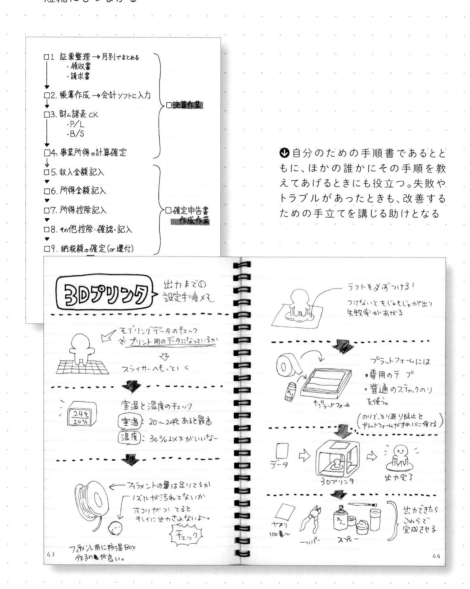

❷自分のための手順書であるとともに、ほかの誰かにその手順を教えてあげるときにも役立つ。失敗やトラブルがあったときも、改善するための手立てを講じる助けとなる

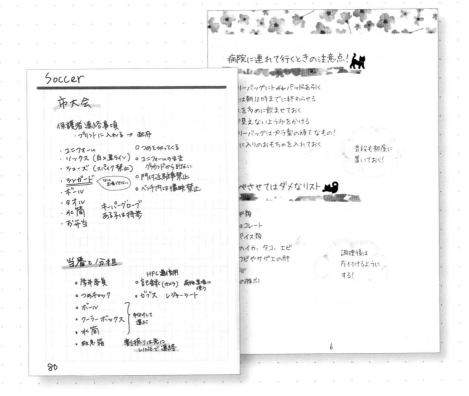

出張が決まったらすること
- チケット予約
- ホテル予約
- 出張申請＆趣意書
  - メモ帳/筆記道具
  - システム手帳
  - 財布
  - クレジットカード
  - PASMO/PiTaPaと定期券？
  - 名刺
  - パソコン/電源/マウス
  - 携帯電話＆電源
  - 腕時計
  - ICレコーダー
  - シャツ/ネクタイ/靴下
  - Tシャツ/下着
  - 折り畳み傘
  - 洗面道具/整髪料/ハンカチ/ティッシュ
- 清算＆報告書

40

←たまにしかしないこと、頻繁にすること、どちらにも手順書は役立つ。「あれはどうだったっけ？」と悩む時間をもっと有効に使うことができる

Soccer

市大会

保護者連絡事項
・プリントに入れる → 配布

- ユニフォーム
- リュックス（白×黒ライン）
- シューズ（スパイク禁止）
- シンガード（なし試合出られない）
- ボール
- タオル
- 水筒
- お弁当

○つめを切ってくる
○ユニフォームのまま グラウンドから出ない
○門付近駐車禁止
○ベンチ内は撮影禁止

キーパーグローブ ある子は持参

当番と分担
- 得点審査
- つめチェック
- ボール
- クーラーボックス
- 水筒
- 救急箱

HFC通信用
・記録係(カメラ) 新物置場に使う
・グッズ レジャーシート

車出しして運ぶ

割り振りは先にLINEで連絡

80

病院に連れて行くときの注意点！

…リーバッグにトイレパッドを引く
…は朝10時までに終わらせる
…を多めに飲ませておく
…見えないよう〇をかける
…リーバッグはプラ製の頑丈なもの！
…に入りのおもちゃを入れておく

普段も部屋に置いておく！

…べさせてはダメなリスト
…類
…ョコレート
…イス類
…イカ、タコ、エビ
…ビやサザエの肝
…印
…の豚肉)

調理後は片付けるようにする！

6

リスト化する

読みたい本リスト、読んだ本リスト、鑑賞した映画リスト、旅行の持ち物リストなど自分にとって関心の高いことをリストにまとめている人が多いようです。

← 読書の記録。自分に影響を与えた本をリストにしておく。見返すことでわすれかけていた知識や情報がよみがえるかもしれない

→ 癒しのリスト。心を整えるときに有効な手段をリストに

WISH LIST

WANT !!
（欲しいもの）

- □ 布団カバー
- ☑ 衣装ケース
- ☑ 塗料スプレー
- □ パテ
- □ 新しいタオル
- □ 洗濯機のとこの棚
- □ オーブンレンジ
- □ PC用のイス
- □ 小物ケース

NEED !!
（必要なもの）

- ☑ PLAフィラメント
- ☑ ゴミ袋
- □ 台所用洗剤
- ☑ スティックのり
- □ 牛乳

55

⬅ 好きなことや関心の高いことがリストにまとめられているとそのページを見るだけで楽しくなる

お土産リスト（富山編）
- ・ますのすし
- ・月世界
- ・高岡ラムネ
- ・最中の皮屋の老舗が
- ・大門素麺
- ・鹿の子餅
- ・甘金丹
- ・ほたるいかの沖漬け
- ・しろえび紀行

好きな日本酒
中村さん・八海山

岡田さん・黒牛 純米酒
鈴木さん・菊姫 山廃純米

高橋さん・久保田 純米大吟醸酒
斉藤さん・新政 純米酒

神田さん・十四代
山田さん・大吟醸

66

見たい映画リスト　　　　　ネトフリ　アマプラ

クロワッサンで朝食を
ラ・ラ・ランド　　　　　　　○　　　　○
引っ越しの夫婦げんか　　　　　　　　○
最高の人生の見つけ方　　　　　　　　○
最強のふたり　　　　　　　○　　　　○
プレシャス
ジュマンジ　　　　　　　　○　　　　○
ファンタスティック・ビースト　○
帰ってきたヒトラー　　　　　○　　　○

66

[HARLEY通勤 心 LIST]

▶ いるもの
- ○ プラグ　　　　　　　　　2
- ○ クラッチケーブル　　　　1
- ○ アクセルワイヤー　　　　1
- ○ レギュレーター　　　　　1
- ○ コイル　　　　　　　　　1
- ○ コンデンサー　　　　　　1
- ○ ポイント　　　　　　　　1
- ○ ヘッドライトバルブ　　　1
- ○ ウィンカー　　　　　　　2
- ○ テールランプ　　　　　　1

▶ いつものやつ
- ★ カッパ？
- ★ 工具
- ★ バイス
- ★ ワイヤー
- ★ ガムテ
- ★ 赤マッキー

98

➡ たびたび気にかけなくてはいけないような大切な事項をリストに預けておくことで思考を身軽にすることができる

重要な情報もまとめて

使用している薬や健康上の注意事項、忘れたり間違えたりしたくない重要
な情報もリストにしていつでも見られるようにしておくと安心です。健康に
関する情報は書類に記入を求められたり、医療機関で尋ねられたり、意外
と参照することも多いものです。
ご家族やご自身の重要事項をリスト化し、参照しやすくしておくと役立つで
しょう。

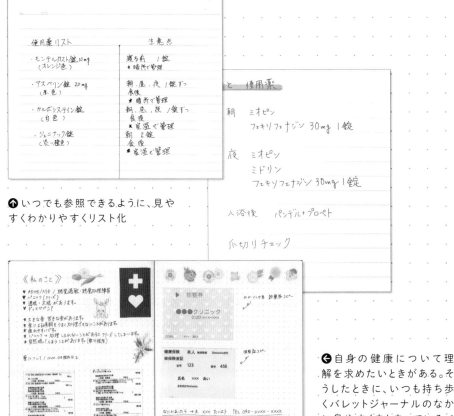

⬆ いつでも参照できるように、見や
すくわかりやすくリスト化

⬅ 自身の健康について理
解を求めたいときがある。そ
うしたときに、いつも持ち歩
くバレットジャーナルのなか
に見やすくまとまっているペ
ージがあると説明しやすい

👉 バレットジャーナルのメリット

・簡単に書ける

・一覧しやすい

・大切なことを1冊にまとめられるので、あちこち探さなくてよい

・長期・短期の時間を区別して管理しやすい

・大きな目標達成のための細かいプロセスを管理しやすい

・タスクを移動させたり、リフレクション（振り返り）をしている間に
　自分の行動を通じて自分自身を見つめなおせる

・予定やタスクの移動という作業があるので、
　しなければならないことを見落とさない

・自分の代わりにすべきことを覚えていてくれるので、
　今しなければならないことに集中できる

・つけていて楽しい

・見返すと楽しい

・手書きという作業が心と頭の整理に役立つ

心 と 頭 を すっきり

ここまで基本的なバレットジャーナルの書き方や、書く際のコツなどを紹介してきましたが、実際にバレットジャーナルを利用している人たちのバレットジャーナルを見せてもらうとその多様さに驚きます。人それぞれ、千差万別の生き方、暮らしにフィットしたバレットジャーナルを工夫して作り出しているのです。

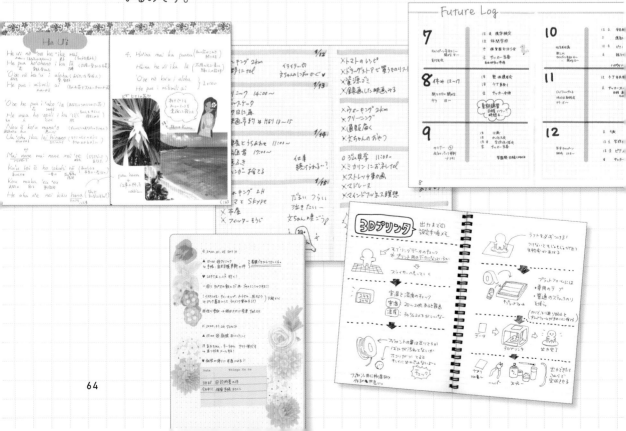

片 付 け る

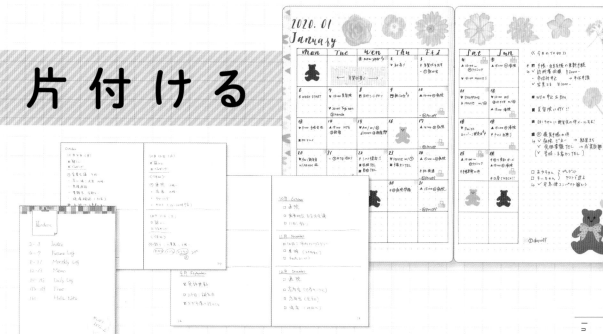

書き方も書かれている内容も人によってまったく異なります。もちろん最初はほかの人のバレットジャーナルを参考にして書き始めるのもよいでしょう。ですが、日々の生活のなかで実際に使っているうちに、自分自身に合った書き方が見えてきます。「こうだったらいいな」「このほうがいいな」と思ったらすぐに反映できる自由さもバレットジャーナルのよいところ。昨日と今日で書き方が違っても自分さえ使いやすければ、誰にも遠慮はいりません。みなさんの個性的なバレットジャーナル、試行錯誤を重ねるうちにだんだんその持ち主に合った個性的なバレットジャーナルに育ってくることでしょう。

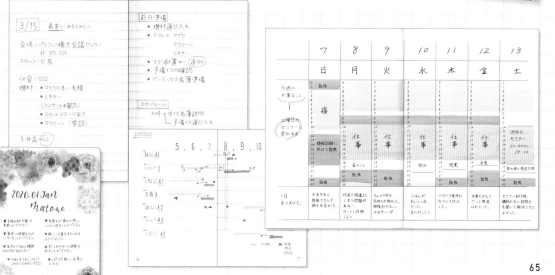

みんなのバレットジャーナル活用術

それぞれのスタイルで

バレットジャーナルに正解はありません。

バレットジャーナルを活用して、人生をよりよくすることに役立てている方の
テクニックをご紹介します。

忙しい毎日のなかで、だんだんいつの間にかそれぞれのスタイルを発見し
ています。これからも変わるかもしれません。もっと便利に、もっと使いや
すく、と思ったらすぐに新しいスタイルを取り入れられるのもバレットジャー
ナルのよいところです。

My way

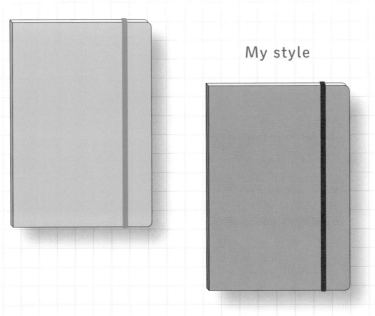

My style

十人十色のバレットジャーナル

みんなはバレットジャーナルをどんなふうに使っているのでしょう。

タスクをきちっと整理したり、スケジュールを見やすく管理したり、趣味や

余暇のための時間を確保したり、大切なこと、大好きなことを記録したり、

いろいろなスタイルのバレットジャーナルを見てみましょう。

参考になるアイディアがあるかもしれません。

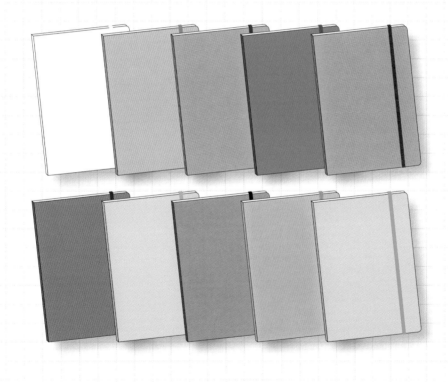

みんなのバレットジャーナルをチェック

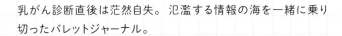

file_01

松田想子さん　31歳

乳がん診断直後は茫然自失。氾濫する情報の海を一緒に乗り
切ったバレットジャーナル。

情報の整理にバレットジャーナルが活躍

知人からの善意のアドバイスや注意も多すぎると悩みのタネです。知り合
いからの言葉で惑わされたり落ち込んだりすることもしばしば…。
とりあえずは書き留めておいて後で医師に相談し、取捨選択しました。

← 一度書き留めることで頭から余計な情報を一掃できます。

↑ 診察時になるとテンパって聞きたかったことが聞けないこともあるので、質問や確認事項もリストにしておくと安心です。

↑ いったん休職。復帰までのイメージがつかめませんでしたが、思いつくままプロセスを書き出すことで考えをまとめることができました。

➡病院で治療の記録をとっておくことを勧められました。これは日々の記録を見ながら診断から治療までの流れをまとめたもの。短い期間にいろいろなことがあったな〜と感慨深いです。

検査と治療の記録

9/12）Mクリニック人間ドック　M医師
　　　　　エコー　がん疑いとのこと、
　　　　　帰宅　紹介状書いてもらう。
　　　　　クリニック
　　　　　ラフィー & 胸部エコー

/18）S中央病院　乳腺外科
　　　　細胞診 → 結果 カテゴリー4
10/3）S中央病院　針生検
10/20）診断結果
10/25）会社に伝える
11/24）入院
　　　　　計測・CT・エコー・夕食
　　　　　朝から絶食 − 手術
　　　　　退院

・MEMO・
胸筋温存乳房切除術
　乳房とリンパ節を切除,
　胸筋は残す

乳房温存手術
　乳頭を残す。温存手術
　変形はタダ?ある.
　残存乳房に放射線

リンパ節郭清
　わきのリンパ節とる。そうじ?
　むくみ,感染症…
　痛み
　センチネルリンパ節生検で決め
　　　└関連するリンパ節

36

⬅お医者さんの話を聞きながらメモ。後で質問したり調べたりするのにも役立ちます。

file_01　松田想子さん

| デイリーログ |

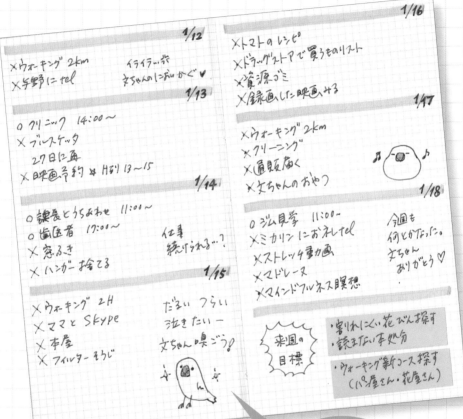

1/12
×ウォーキング 2km　　　イライラ…半
×宇野に tel　　　　　文ちゃんにおねがぐ♥

1/13
○クリニック 14:00〜
×ブレステッタ
　27日に再
×映画予約 # Hより 13〜15

1/14
○課長とうちあわせ 11:00〜
○歯医者 17:00〜　　　　仕事
×窓ふき　　　　　　続けられる…？
×ハンガー お捨てる

1/15
×ウォーキング 2H　　　だるい つらい
×ママと Skype　　　　泣きたい—
×本屋　　　　　　　文ちゃん 嗅ごう！
×フィルター そうじ

1/16
×トマトの レシピ
×ドラッグストアで買うものリスト
×資源ゴミ
×録画した映画みる

1/17
×ウォーキング 2km
×クリーニング
×通販届く
×文ちゃんのおやつ

1/18
○社見学 11:00〜　　　今回も
×ミカリンにおれし tel　　何とかなった。
×ストレッチ動画　　　文ちゃん
×マドレース　　　　　ありがとう♡
×マインドフルネス瞑想

来園の
目標
・割れにくい 花 びんお探す
・読まない本処分
・ウォーキング新コース探す
（パン屋さん・花屋さん）

↑不安やストレスは常にあります。イライラ、もやもやした気分の時はノートに率直に書き出します。癒しも書き添えておくと気分が落ちつきました。

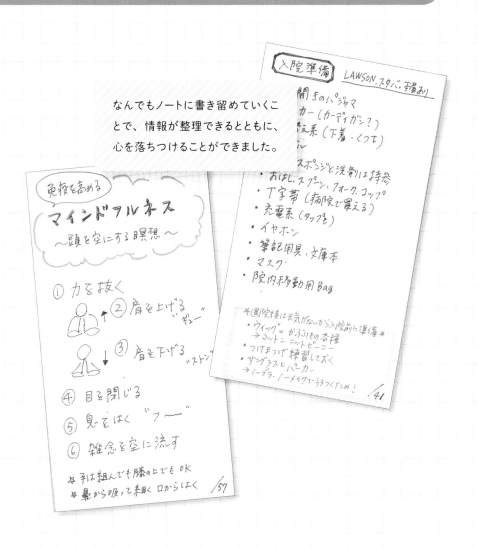

なんでもノートに書き留めていくことで、情報が整理できるとともに、心を落ちつけることができました。

体調がよくない日や、気分が暗くなりつらい日もありますが、バレットジャーナルに心に浮かんだことを書き出すようにしていたら「そうか、自分はつらいのか」とマインドフルネス効果が得られると気づきました。

愛鳥の文ちゃんに癒してもらったなど、「癒し」も記録することで、同じように気分が落ち込む日があっても「自分には癒しがある」と、以前より穏やかな気持ちで過ごすことができます。

file_02

あいさん

発達障害の一つであるADHD（注意欠如・多動性障害）と診断されたお子さんと忙しくも楽しい毎日を送る。自身も体調を崩しやすく、そのため体調変化の波をつかんだり、不調の兆しに早めに対処するためにバレットジャーナルを活用。

日々の振り返りで毎日をスムーズに

手帳や文房具が大好きなので、バレットジャーナルを書く時にもいろいろなツールを使っています。バレットジャーナルをつけることで定期的に振り返りの時間を持つことが習慣となり、あわただしさに流されてしまいがちな日々の生活の軌道修正に役立っています。また重要な情報を一括管理できるので自身の思考もすっきりまとまりました。

シールを利用して統一感を。ふせんに書かれたタスクはマンスリーやデイリーのページに移動させることができます。

よく見返すフューチャーログページにはキーページも。こうしておくとどのページを開いているときもキーを参照できます。周囲のマスキングテープは補強や開きやすくするための役割も。

月の終わりにはその月の振り返り。できたことを書いて自己肯定感をアップ。

マンスリーログ

仕事のスケジュールは固定的なので、家族の予定が多めです。その月の気分に合わせてシールなどで飾ります。

デイリーログ

デイリーログにはタスクやメモを中心に書いています。

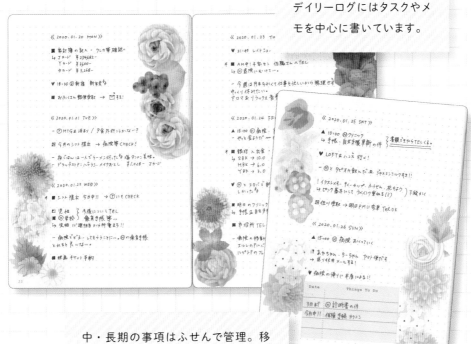

中・長期の事項はふせんで管理。移動させることができるので便利です。

file_02　あいさん

WISH LIST。なるべく
具体的なイメージを添え
て可視化しています。

観た映画や観たい映画のリ
ストをチラシ画像とともに。

疲れたときや気分が上がらない
ときに見るコーピングリストには
自分の心を穏やかにするための
アイディアが詰まっています。こ
れを見るだけで元気が出ることも。

ほしいものリスト。買いた
いと思ったものはいった
んここへ入れて検討。じっ
くり考えてから購入します。

通販で購入し届くのを待っ
ているものはこちらへ。

睡眠が不規則になりがちなので見やすく記録し、生活を整えています。

薬を使用した日には印をつけています。医療者への相談時など他人に見てもらうときにも役立ちます。習慣づけしたいこともふせんでトラッカーに。

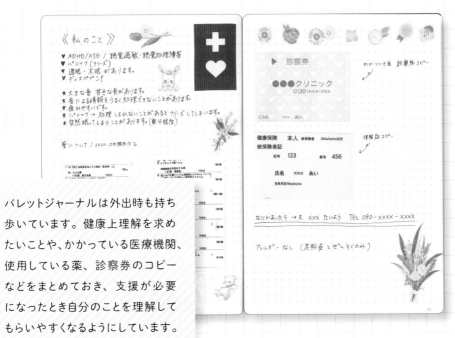

バレットジャーナルは外出時も持ち歩いています。健康上理解を求めたいことや、かかっている医療機関、使用している薬、診察券のコピーなどをまとめておき、支援が必要になったとき自分のことを理解してもらいやすくなるようにしています。

file_03

上橋澄江 さん　46歳

フルタイムで働きつつ、三人育児中。自分の用事と子どもたち
の用事をもれなくこなしていくためにバレットジャーナルを活用。

バレットジャーナルはここ数年続けています。最近は子どもの用事が多くて、
まるでマネージャー（笑）。学校や習い事などでも保護者の手伝いは多く、
うっかり忘れるとほかの人に迷惑がかかってしまうこともあるので、おろそ
かにはできません。仕事のこともプライベートも子どもの用事もすべて一冊
にまとめられ、情報を見失わないことが便利だと思います。

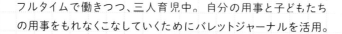

小さなタスクもバレッ
トジャーナルで管理。
こなしたタスクを見る
と喜びが…。

秋は本当に行事
が多くて大変です。

子供はすぐに大きくなるので
日常の小さなできごともメモ。

｜ フューチャーログ ｜

子どもの予定は年度の始めにおおよそ決まること
が多いので、予定表をもらったらフューチャーロ
グにざっくり書き写しておきます。

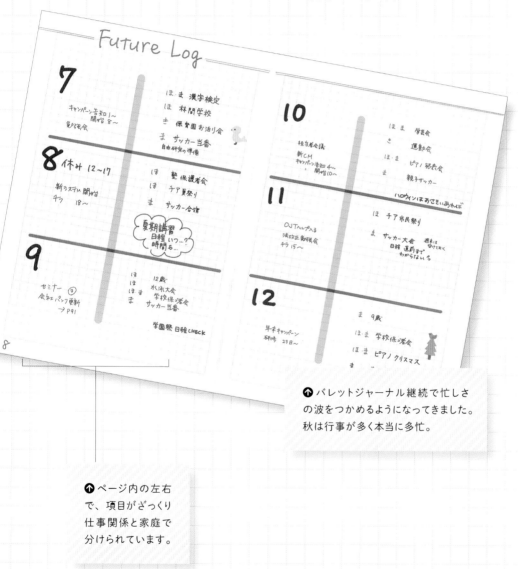

❷ バレットジャーナル継続で忙しさ
の波をつかめるようになってきました。
秋は行事が多く本当に多忙。

❷ ページ内の左右
で、項目がざっくり
仕事関係と家庭で
分けられています。

file_03　上橋澄江さん

❸習い事などで注意されたことは、忘れないようにメモします。
子どもに任せるとなんとなく聞き流してしまうので今は私が管理。
いずれは子ども自身に任せたいです。

持ち物などもリスト化。毎回参照することで忘れ物を防ぎます。

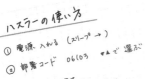

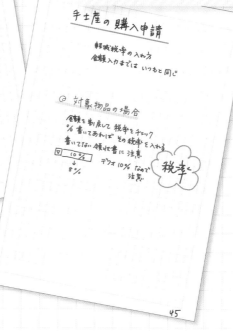

← 仕事も同じノートで管理。サブインデックスを作ってどこに何が書いてあるかをわかりやすく。

苦手な機械操作やいつも混乱する手続き関係をまとめて必要なときはすぐに参照できるようにしています。

必要な手順をすぐに確認できるので「えーと...」と考え込む時間が減りました。

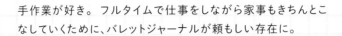

はるさん

手作業が好き。フルタイムで仕事をしながら家事もきちんとこなしていくために、バレットジャーナルが頼もしい存在に。

小さなタスクをこつこつこなしていくことでなりたい自分に近づいていくことができます。なるべくビジュアルイメージを多用して、なりたい自分、かなえたい願いを具体的に考えることがカギ。そのイメージを作るために手作業をする時間も思考をまとめるのに役立っています。

| フューチャーログ |

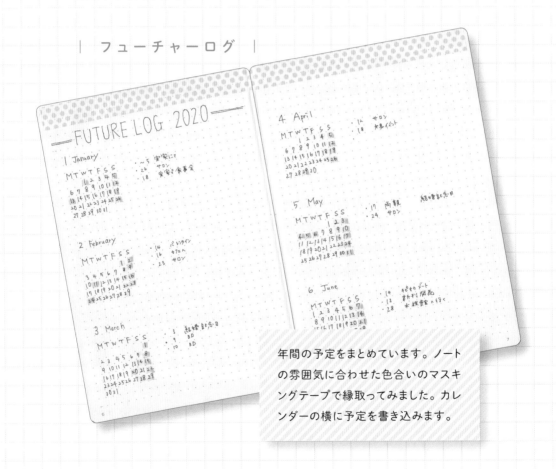

年間の予定をまとめています。ノートの雰囲気に合わせた色合いのマスキングテープで縁取ってみました。カレンダーの横に予定を書き込みます。

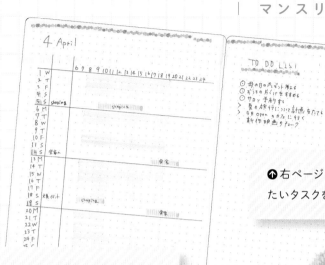

↑ 右ページにはその月に実行し
たいタスクを書き出しています。

左ページは時間軸で管理。予定 **↑**
のある時間にはマーカーを引き、
自由に使える時間を可視化します。

1週間ごとの目標や気を
つけたいことはここに。

日々のタスクはウィークリーログ
ページで管理。上、中、下段
に分け、上段はその日の予定、
中段は習慣にしたいこと、下段
にはタスクを書いています。

file_04 　はるさん

❹ウィッシュリスト
定期的に叶えたい夢ややりたい
ことをまとめてリストに書き出して
います。シールを使って華やかに
し何度も見返したくなるページに。

⬆左側のウィッシュリストに対して、右側は「もしそれを
叶えたらどんな気分になるか」を書いています。より具
体的に叶ったときの自分をイメージすることができ、より
強く「叶えよう！」とモチベーションを保つことができます。

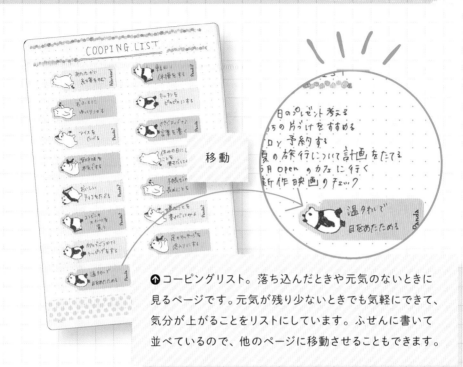

移動

↑コーピングリスト。落ち込んだときや元気のないときに見るページです。元気が残り少ないときでも気軽にできて、気分が上がることをリストにしています。ふせんに書いて並べているので、他のページに移動させることもできます。

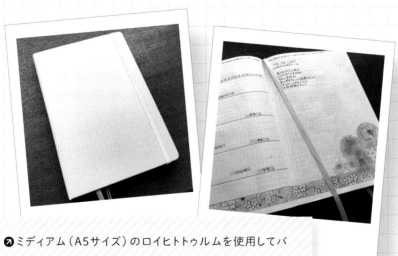

↗ミディアム（A5サイズ）のロイヒトトゥルムを使用してバレットジャーナルを書いています。バレットジャーナルを書きやすい工夫がされているので気に入っています。目的のページをさっと開くためにスピン（しおり）が便利です。

file_05

園田詩織 さん　34歳

最近子猫が家族になりました。初めてのお世話に緊張するも、
バレットジャーナルでしっかりと管理。

手作業やイラストを描いたりするのが好きなので、手書きのバレットジャー
ナルはぴったり。シンプルなノートにシールやマスキングテープで彩りを持
たせます。最近はバレットジャーナルも猫一色です。

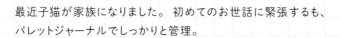

5 月　☐ ゴールデンウィーク中に書類整理
　　　☐ 2・3・4・5・6　5連休
　　　☐ 動物病院 (ワクチン) 予約
　　　☐ 歯科予約

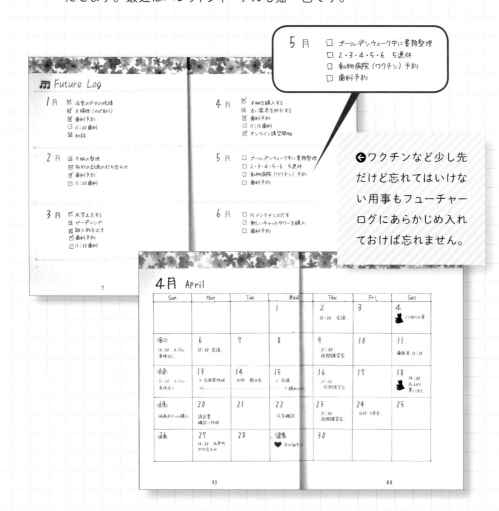

◀ワクチンなど少し先だけど忘れてはいけない用事もフューチャーログにあらかじめ入れておけば忘れません。

➡ 猫好き仲間が増え
ていろいろなアドバイ
スをもらえます。
重要なことを書き留め
たものも、後から見返
すと思い出の一コマ。

⬆ 毎日猫の様子
を綴っています
子猫の成長記録
になっています。

➡ 読んだ本の記録。

⬆ イラストで表紙を
気合が入りました（笑）

file_06

巻田いずみさん　34歳

フリーランスで不規則な時間と仕事量。現在は体の弱いお母さんを在宅介護中。 バレットジャーナルで時間をやりくり。

在宅介護で母の世話をしつつ、編集やライターの仕事をしています。時期によって忙しさの差が大きいですが、バレットジャーナルでタスクと時間管理をしっかりすることで、繁忙期も大きく生活リズムが乱れずこなせています。

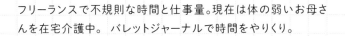

| フューチャーログ |

↑自由に時間を使えるのはフリーランスのよいところ。母の施設利用スケジュールを見ながら、使える時間を考えていきます。

| マンスリーログ |

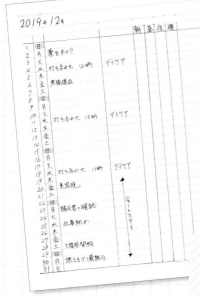

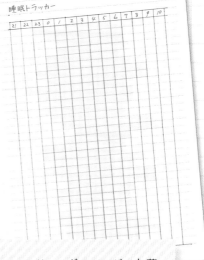

↑マンスリーログのページで与薬
と睡眠時間を記録しています。

↑定期的なケアサービ
スの持ち物もリストを作っ
てチェックします。

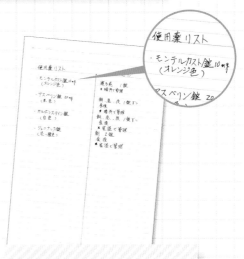

↑薬のリスト。使用薬は病院や
施設で突然聞かれることが多い
ので、いつでも答えられるように。

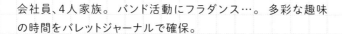

file_07

藤本より子 さん　58歳

会社員、4人家族。 バンド活動にフラダンス…。 多彩な趣味
の時間をバレットジャーナルで確保。

バンド活動は学生時代から続けていたのを、4年ほど前に復活。3〜4カ月
に一度、ライブハウスなどで演っています。50歳をすぎて始めたフラにも
はまっていて、最近はイベントなどに出演するようになりました。仕事と自
主練習、メンバーとの練習、本番などを調整するためバレットジャーナルを
活用しています。

↑1ヵ月の予定や流れが見開きでわかるこのタイプに落ちつきました。
仕事は黒インクで、趣味は青インクのほかにマーカーも活用。
各色に意味を持たせて識別しやすくしています。
ちなみに、緑はマストなプライベート、黄色はできれば参加したいこと。

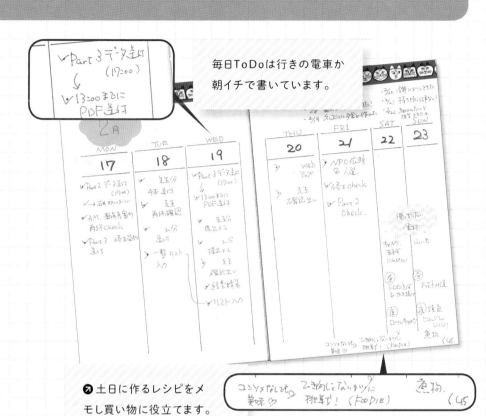

毎日ToDoは行きの電車か朝イチで書いています。

❼土日に作るレシピをメモし買い物に役立てます。

ちゃんとハワイ語で歌うようにと発音なども習います。振りには意味があるので、歌詞をしっかり理解することが大切。

その歌の情景がわかるような写真も貼っています。

❽フラ記憶用のフラノート。歌詞や振りなどを書きとめます。

file_08

てっしーさん　29歳

クリエイターとして活動中。3D造形の分野へ活動を広げるべく準
備中。創作活動に関する手順もバレットジャーナルでスムーズに。

3Dプリンターも日進月歩。知人の個展で3Dの表現力に魅せられ、勉強し
ているところです。いずれは3D作品も発表したいので、モチベーション維
持と関連作業をスムーズにするためにバレットジャーナルを利用しています。

| デ イ リ ー ロ グ |

イベントに出展予定。やる
べきことをはっきりさせて
創作に全力をそそぎます。

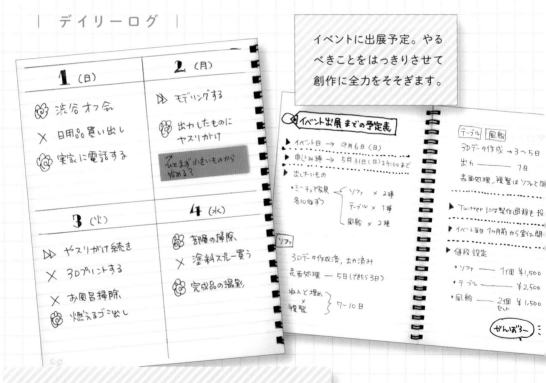

↑3Dプリンター購入1ヵ月。
いろいろチャレンジしているうちにコツがわかってきたころ。
試行錯誤をデイリーログにつづっています。

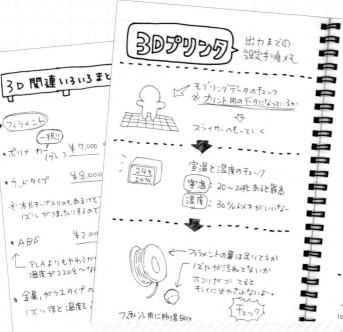

3Dプリンターは樹脂くずやにおいが出るう
え、やすり作業などで部屋も散らかります。
あらかじめ後処理などの時間も考えて作業
を計画しないといけません。手順を一覧で
きると役立ちます。

↑インデックスなどは
いたってシンプルに…。

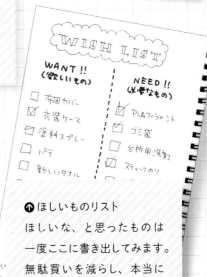

↑ほしいものリスト
ほしいな、と思ったものは
一度ここに書き出してみます。
無駄買いを減らし、本当に
欲しいものにリソースを振り
向けることができます。

高田雄二さん　55歳

イベントの企画運営。多くの人が関わるプロジェクト管理にバレットジャーナルを活用。

イベントを成功させるためには多くの人や物を動かしていく遂行力と、細かいことにまで気を配れるマネジメント力が必要です。バレットジャーナルは、大きなプロジェクトを確実に実行していくための確実なステップを示してくれます。

| デ イ リ ー ロ グ |

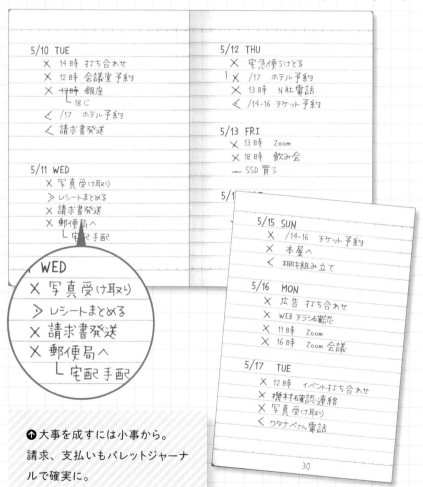

↑大事を成すには小事から。
請求、支払いもバレットジャーナルで確実に。

プロジェクト INDEX

P10-11　　3D イベント
P18-19　　学校セミナー
P26-27　　講師説明会

P34-35　　UE イベント
P38-39　　3D イベント
P46-47　　フラワーイベント

← プロジェクトを
さらに細かく分け
インデクシング。

好きな日本酒

中村さん・八海山

岡田さん・黒牛 純米酒
鈴木さん・菊姫 山廃純米

高橋さん・久保田 純米大吟醸酒
斎藤さん・新政 純米酒

神田さん・十四代
山田さん・大吟醸

日程決定 9/5
・会場手配 　9/15
・委託先 → イベントアシスト JAPAN
　スタッフ　20 名
　機材レンタル
　　・モバイルシステム
　　・ワイヤレスチューナー
　　・ワイヤレスマイク
　設備・設営関連
　　・花 → 壇上フラワー手配
　　・広告関連 → WEB 広告
　　　　　　　　チラシ 9/18
・出展者リスト作成 　　9/10
・予算 →43 ページ

↑ この仕事はネッ
トワークが命。お
付き合いもバレット
ジャーナルで管理。

→ プロジェクトごとにマ
スタとサブのコレクショ
ンを作ってインデックス
に納めています。後で
見返すときにも便利です。

41

会場〇〇〇センター
　　3F 301-304
スタッフ：10 名

収容：1000
機材：・マイク2本／有線
　　　・ミキサー
　　　（コンセント6箇所）
　　　・ライト←ステージあて
　　　・スクリーン （常設）

天井高 H6.5

前日準備
　・機材運び入れ
　・テスト → マイク
　　　　　　 スクリーン
　　　　　　 ミキサー
　・チラシ配置 ← 追加
　・予備イスの確認
　・ピーテックス名簿準備

スケジュール
　8 時 ┬ 受付名簿説明
　　　　└ 予備イス運び入れ

　10 時　受付
　11 時　お客の案内
　16 時　撤収開始

39

38

2018 年　自作ロボット展示会
・会場準備遅かった
　　別のイベントと重なって空き枠が少なかった
・音響　隣り合わせのブースで
　　　　時間帯が重なることがあった
　　　タイムテーブル・早めにルール作り
→ 雨対策をする
　　（午後から雨だった）
　　床滑る→マットを敷く。
　　1時間ごとにモップがけ

・搬出路が混雑して時間かかる
・イスが少ない クレーム
・デジタルサイネージ 好評
・入場券バーコード ピーテックス

← プロジェクト遂行の暁には振り返りと反省を記録。
また、過去のバレットジャーナルを見返すことがさ
らなる成長に。

51

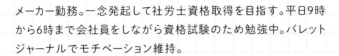

file_10

井上純矢さん　26歳

メーカー勤務。一念発起して社労士資格取得を目指す。平日9時から6時まで会社員をしながら資格試験のため勉強中。バレットジャーナルでモチベーション維持。

とある出会いから社会保険労務士の資格取得を目指すことになりました。とはいえ日中は仕事があるので、勉強時間の確保が課題。日々のあわただしさに流されそうになっても毎日のバレットジャーナル書きでモチベーションを維持し、1年で合格することができました。

❷絶対合格の決意を表すページ
目に入りやすいところに書いておくと
「やるしかない！」と行動につながります。

社会保険労務士
試験合格するぞ!!

・最後まであきらめない!!

・やれば必ず結果は出る!!

・やらないよりやる！
　でも無理しすきないように！

・頑張る!!

模擬テスト集進行スケジュール
5月

1	模擬テスト1
2	復習
3	テキストカクニン
4	テスト2回
5	復習
6	テキストカクニン
7	テスト3回
8	復習
9	テキストカクニン
10	テスト4回
11	復習
12	テキストカクニン
13	テスト5回
14	復習
15	テキストカクニン

21

試験までのトラッカー

6月 7日〜13日

	日	月	火	水	木	金	土
労基							
衛生法							
雇用保険法							
健保険法							
厚生保険法							
国保法							
一般常識							

メモ
衛生法の勉強時間が少なかった
かな・・・
苦手だからもう少し増やさないと!!

❼週ごとに進捗管理。
トラッカーのスタイルもいろいろ試してみました。
実行したら色を塗るタイプはやる気が出ます。

時間の見える化でダラダラ防止

会社と勉強以外にもいろいろ雑事は多いもの。書き出して片っ端から片付けるようにすることで、毎日なんとなく時間を過ごしてしまうことが減りました。

⬇勉強時間を確保するためのウィークリーログ 色分けで勉強に使える時間をわかりやすくし、貴重な時間を無駄にしないように行動を考えました。

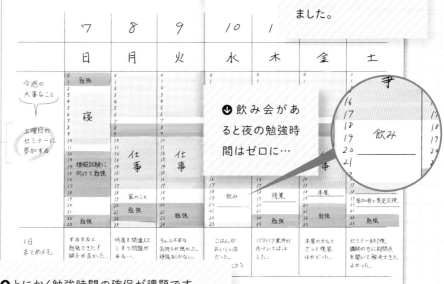

⬇飲み会があると夜の勉強時間はゼロに…

⬆とにかく勉強時間の確保が課題です。時間の空き状況をわかるようにして、細かい時間も有効に使えるようにしています。

定期的にアウトプットと振り返り。一覧にして比較しやすく。

勉強スケジュール（平日）

時間	内容
8:00〜8:45 (通勤中)	昨日の復習 間違い部分のカクニン
20:00〜20:30	労働基準法
20:30〜21:30	衛生法
21:30〜22:00	雇用保険法
22:00〜22:30	厚生年金保険法
22:30〜23:00	国保法
23:00〜23:30	健康保険法
23:30〜24:00	一般常識＋チェック

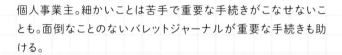

file_11

小野真澄 さん　５２歳

個人事業主。細かいことは苦手で重要な手続きがこなせないことも。面倒なことのないバレットジャーナルが重要な手続きも助ける。

自分にも続けられる自由さと使いやすさ

小さな事務所を経営。細かいことが苦手なので手帳は続けられませんでしたが、とにかくやることを書き出していくだけ、というスタイルでバレットジャーナルを始めたところ、うまく習慣化し続いています。

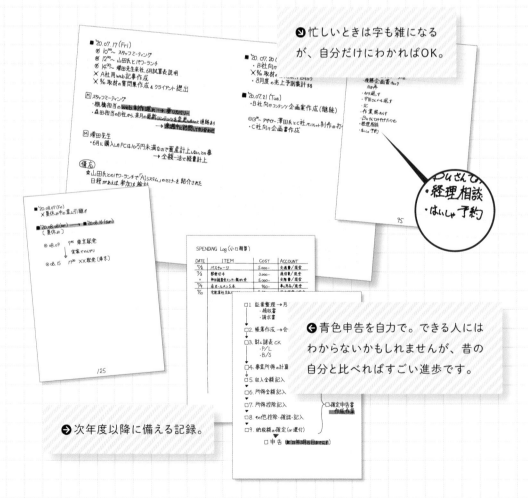

❷忙しいときは字も雑になるが、自分だけにわかればOK。

❸青色申告を自力で。できる人にはわからないかもしれませんが、昔の自分と比べればすごい進歩です。

❹次年度以降に備える記録。

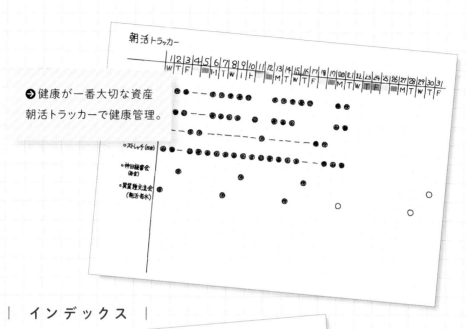

朝活トラッカー

→健康が一番大切な資産
朝活トラッカーで健康管理。

インデックス

←インデックスは一覧性
とわかりやすさを重視。

ひと手間でいろいろなことが楽になる

毎日ノートを書くのは面倒に思われるかもしれませんが、自分は仕事で重要なことを忘れ何度も苦労してきたので、忘れっぽい自分が後で困らないように、と考えるとノートを書くのも面倒に感じなくなります。

file_12

Taigaさん　49歳

デザイナー。バイク、合気道、ギター、模型etc.が趣味。納期
が重なる不定期なタスクをバレットジャーナルで管理しつつ愛
車の健康管理にも役立てる。

案件ごとにスケジュールが異なり、かつ納期が重なったりすることも多いの
でバレットジャーナルでの管理が役立っています。バレットジャーナルはル
ールがとてもシンプルで枠組みを自分で作っていくことができるところが使
いやすいです。

| フューチャーログ |

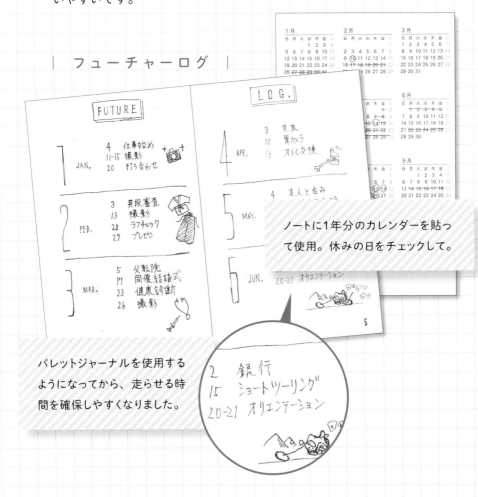

ノートに1年分のカレンダーを貼っ
て使用。休みの日をチェックして。

バレットジャーナルを使用する
ようになってから、走らせる時
間を確保しやすくなりました。

| マンスリーログ |

見開きのマンスリーログ。その月の
タスクを見やすく管理しています。

| デイリーログ |

↑デイリーログの書き方
は模索中。いろいろな
スタイルを試しています。

↑案件ごとの進行状況が見えるように。
業務が重なる時期をわかりやすくしてス
ケジュール調整に役立てます。

→過去の経験を活かし、予備パ
ーツと安心パーツのリストを作成。

file_13

岡崎龍平 さん　34歳

会社員。 悪性リンパ腫から回復。復職しての新たな生活にバレ
ットジャーナルが伴走

2年前に健診で病気が見つかり、休職を経て治療を続けながら職場復帰を
果たしました。職場復帰直後はまだ抗がん剤治療などもあり、時間管理や
体調管理にバレットジャーナルが役立ちました。今は定期的な検査くらい
で元気に過ごしていますが、過去の治療記録などをしっかり残し、急な体
調の変化にも対応できるようにと考えています。

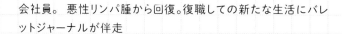

➡担当医や看護師さんの話をメモ
病状や治療の内容は一度聞いた
だけではわからないことが多いの
でメモは必須です。

➡通院での治療でもけ
っこう時間をとられるこ
とが一連の流れをまとめ
ておくことで、次回の準
備に役立てられました。

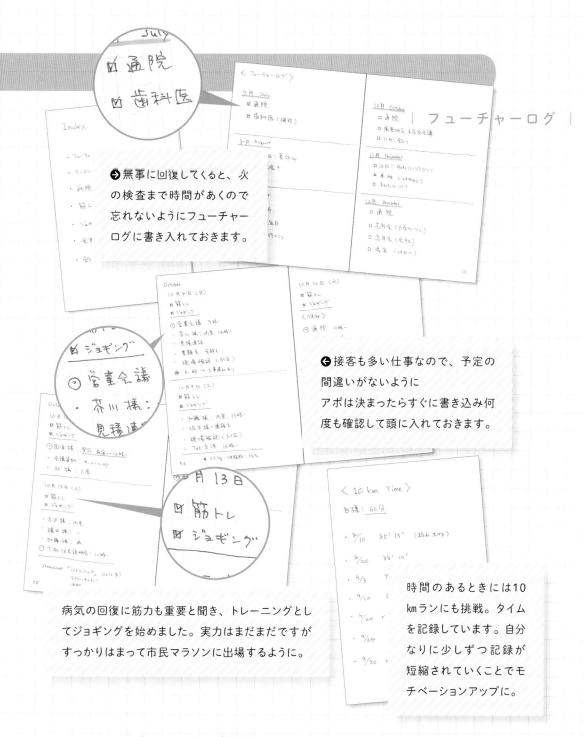

→ 無事に回復してくると、次の検査まで時間があくので忘れないようにフューチャーログに書き入れておきます。

← 接客も多い仕事なので、予定の間違いがないように
アポは決まったらすぐに書き込み何度も確認して頭に入れておきます。

病気の回復に筋力も重要と聞き、トレーニングとしてジョギングを始めました。実力はまだまだですがすっかりはまって市民マラソンに出場するように。

時間のあるときには10kmランにも挑戦。タイムを記録しています。自分なりに少しずつ記録が短縮されていくことでモチベーションアップに。

バレットジャーナルを一定期間以上つけていると、過去のページを見ることで自分の変化を知ることができます。症状がきつかったときは「なんで自分が」と思ったりしていましたが、今は「あの状態からよく這い上がってきたなあ」と誇らしい気もします。バレットジャーナルはずっと傍らを並走してくれていた相棒です。

バレットジャーナルで心と頭がすっきり片付くと…

モチベーションが維持された

・いつも目にすることで決意を忘れない

・目標達成までの細かいプロセスを管理できる

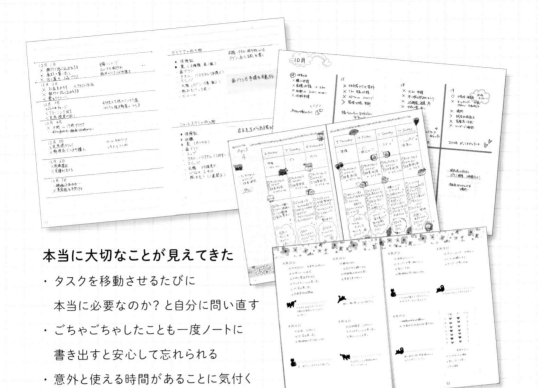

本当に大切なことが見えてきた

- ・タスクを移動させるたびに
  本当に必要なのか? と自分に問い直す
- ・ごちゃごちゃしたことも一度ノートに
  書き出すと安心して忘れられる
- ・意外と使える時間があることに気付く

振り返りで

- ・なんとなく日々が過ぎて行ってしまうことがなくなった
- ・これだけやった、と確認できるので自信が持てる

シンプルなバレットジャーナルもよいもの

バレットジャーナルには、その人らしさがあらわれます。きれいに書かれている他人のノートを見ると「こんなに細かいこと毎日できない」「絵心がないから無理だ…」と感じてしまうかもしれません。しかし、バレットジャーナルを続けている人のなかにはいたってシンプルに書いている人も大勢います。本書ではシンプルなノートづくりをしている人の例もご紹介しました。

バレットジャーナルの本来の成り立ちを見ると、本来雑多なタスクを「簡単に見やすく」管理するということが目的となっています。シンプルノートを支持するという層も多いです。

「書き方が自由」というのもバレットジャーナルのコンセプトの一つなので、自分の好みに合ったものを選択すればよいでしょう。

シンプル派のなかには、無駄をそぎ落としたシンプルさの中に機能美を見出すという意見も。

シンプルなノートのメリット

書くのが簡単

見直すのが簡単

少ないページ数で管理できる

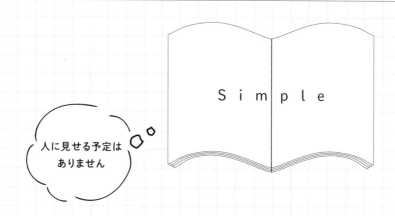

Simple

人に見せる予定は
ありません

秘密保持のために

バレットジャーナルに限らず、仕事やプライベートのいろいろなことを書いているノートを落としたり、置き忘れたりして、他人に見られたらまずいことになるという人もいるでしょう。

勤め先によっては業務情報の管理に規定があるところも。また、個人情報の扱いにも厳しい管理が求められる時代。アナログでもデジタルでもリスク対策は必須。

なくさないように注意することはもちろんですが、万が一のときのことも考えて備えている人もいます。

➡拾った人宛に連絡を乞うメッセージを入れている人も。

> **大切なノートです。**
> このノートを拾った方は
> 090-○○△△-××××
> までご連絡ください。

↑表紙の近くなど目につきやすい場所に書くとよい。

また、取引先や関係者の名前を暗号や略号にしているという人も。

田中一郎さん→　t1
株式会社　ブジョー　→bj
など

11/15

・t1　ランチ
・bj　見積もり提出

不意に
見られても
大丈夫

↑他人にはわからないけれど、自分にはしっかりわかるような書き方が重要

こんなものもあると便利

ノートとペンだけですぐに始められるバレットジャーナルですが、きれいな紙面を作ったり、タスクやイベントをわかりやすくしたり、区分けをはっきりさせたりするために、みなさんいろいろな道具を使っています。
デザインが自分好みになっていくと、モチベーションがアップするという人も。
また日付や曜日を書く作業をアシストする製品も人気です。

［マスキングテープ］
貼り直したり、上から字を書いたりすることができるので便利。

［ふせん］
スペースが足りない場合にも便利。
はがれてなくしてしまわないように、上からメンディングテープで押さえて使用するという人も。

［シール］
ページがにぎやかになり楽しくなる。
目印としての利用にも便利。

［はんこ・スタンプ］
曜日や数字のはんこのほか、注意喚起用やデコレーション用にも。

> デザインに
> オリジナリティと
> 統一感を
> 持たせられる。

> ページを
> デコレーション
> することで
> さらに愛着が
> 強くなる。

> SNSに
> アップするなど、
> 他人に見せることを
> 意識して書いている
> という人も。

[蛍光ペン]
[カラーペン]

カラフルなノートを書く人もいる一方、
1色で書いているという人も多い
タスクの種類別に色を変えたり、重
要な項目を目立たせたり、使い方は
人それぞれ

多色ボールペン
も人気

にじまない、
裏写りしないペンが便利

[定規・テンプレート]
きれいな線をひくために
同じ枠線を書くと統一感が出てキレイ

[しおり]
今日のデイリーログやよく見るページ
に挟んで使用。
見たいページをぱっと開くことができ
て便利。

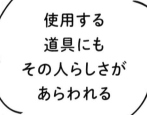

使用する
道具にも
その人らしさが
あらわれる

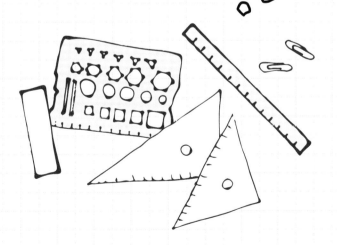

バレットジャーナル専用ノートを使用する

ロイヒトトゥルム1917

LEUCHTTURM1917(ロイヒトトゥルム1917)は、バレットジャーナルとコ
ラボした製品で、バレットジャーナルを書くのに便利な機能が備わっていま
す。世界中のバレットジャーナルユーザーから支持を受けています。

⬆ インデックスやキーのた
めのページがあらかじめ用
意されています

⬆ 各ページに初めから通し
のページ番号がふってあり
ます

シンプルでありながらバリエーションが多く、カバーの色やサイズも豊富で、それぞれ方眼罫とドット罫など好みの仕様を選べます。

カスタマイズしやすく、自分らしいバレットジャーナルを作ることができます。

裏写りしにくい高品質用紙を使用し、フラットに開いて書き込みやすい製本です。

巻末にはポケットもあり、シールやカードなど細かいものを入れておくことができます。付属のゴムバンドで閉じておけば、それらも安心して一緒に持ち運ぶことができます。

手帳としての機能も充実しています。

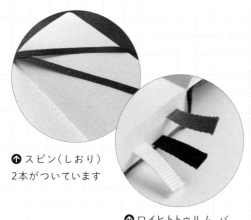

⬆ スピン（しおり）
2本がついています

⬆ ロイヒトトゥルム　バ
レットジャーナルエディ
ションには3本付属

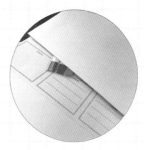

⬆ 細かいものの持ち運びに
便利な巻末のポケット

➡ 背や表紙にちょうどいいサ
イズのラベルシールも付属

小物、筆記具は付属しません。

MESSAGE for YOU

本書では、忙しい人に向けて、バレットジャーナルの使い方や、実際に使っている人の使用例を紹介してきました。

バレットジャーナルの使い方は自由です。道具や書き方も決まったものはありません。

バレットジャーナルの書き方に関していえば、自分にとって使いやすいことが一番です。今回サンプルを寄せたり、アイディアを提供してくださった人たちはいずれもいろいろと試行錯誤しながら、自分なりの方法を編み出してきたといいます。また、今後も必要に応じて、書き方を変えていくだろうとおっしゃっている人がほとんどです。そして、すでにもう生活の中でバレットジャーナルが欠かせない存在になっているそうです。

新しいページを前に、新しい人生に向かい合うとき、あらためて自分と向き合うことになるのでしょう。

みなさんも自分だけのバレットジャーナルを作ってみてください。

【監修】株式会社平和堂

1948年、東京都中央区で創業。"平和堂"ブランドで広く知られ、名刺・はがき・封筒・カードなどの紙製品の企画開発、デザインから製造販売まで一貫して行う紙製品製造販売会社。
文化を創出する紙製品を開発する一方、「ロイヒトトゥルム1917」をはじめさまざまな海外ステーショナリーブランドの国内代理店として、輸入文具を取り扱っている。

心と頭がすっきり片付く
バレットジャーナル活用ブック

令和2年7月28日　第1刷発行

監 修 者　　平和堂
発 行 者　　東島俊一

発 行 所　　株式会社 法 研
　　　　　　〒104-8104　東京都中央区銀座1-10-1
　　　　　　代表 03（3562）3611
　　　　　　http://www.sociohealth.co.jp
印刷・製本　　研友社印刷株式会社

0123

小社は㈱法研を核に「SOCIO HEALTH GROUP」を構成し、相互のネットワークにより、"社会保障及び健康に関する情報の社会的価値創造"を事業領域としています。その一環としての小社の出版事業にご注目ください。

©Heiwado 2020 printed in Japan
ISBN978-4-86513-721-7 C0077　定価はカバーに表示してあります。
乱丁本・落丁本は小社出版事業課あてにお送りください。
送料小社負担にてお取り替えいたします。

JCOPY〈出版者著作権管理機構 委託出版物〉
本書の無断複製は著作権法上での例外を除き禁じられています。複製される場合は、そのつど事前に、出版者著作権管理機構（電話03-5244-5088、FAX 03-5244-5089、e-mail: info@jcopy.or.jp）の許諾を得てください。